BRIGITTE MATRON

YVES TISSIER
CAROLE VALLI

# LA CONJUGAISON
# DE TOUS LES VERBES

**Coordination :**
Sabiha Benattouche-Daoud

Directeur de la publication : GUY MERLAT

# Table des matières

## 2ᵉ GROUPE

## 3ᵉ GROUPE

verbes en -RE

# Introduction

## PRÉSENTATION DE L'OUVRAGE

Cet ouvrage, qui se veut à la fois simple et complet, s'adresse à tous, scolaires, familles et plus généralement à ceux qui veulent perfectionner leur connaissance et leur pratique de la langue française : il n'a pas d'autre ambition que de les aider à utiliser aisément les centaines de formes verbales que revêt la conjugaison française.

Le lecteur procède en deux temps : il cherche d'abord le verbe dont il souhaite connaître la conjugaison dans la liste des verbes (environ 6 500 entrées) proposée en première partie, de la page 13 à la page 81. Le verbe est suivi d'un numéro qui le renvoie, dans la deuxième partie (page 83 et suivantes), au tableau de conjugaison correspondant à son verbe.

D'autres indications sont parfois données devant le numéro de tableau : elles signalent que, si le verbe recherché appartient à ce modèle de conjugaison, il présente une particularité ou une exception par rapport au verbe type ; ces dernières seront expliquées dans l'encadré accompagnant le tableau.

(Voir page 12 le détail des indications que l'on peut trouver dans la liste des verbes.)

La deuxième partie de l'ouvrage contient 77 tableaux numérotés, correspondant chacun à un modèle de conjugaison à partir duquel le lecteur saura conjuguer le verbe recherché.

Chaque tableau est accompagné d'un encadré qui donne les informations indispensables sur le verbe type comme sur les verbes se rattachant à ce modèle de conjugaison.

(Voir page 84 la présentation des tableaux de conjugaison et de leurs encadrés.)

# QUELQUES RAPPELS SUR LES VERBES
## ET LEUR CONJUGAISON

→ Tout verbe se compose d'un radical et d'une terminaison (ou désinence). Dans laver, lav- est le radical et -er la terminaison de l'infinitif.

Dans la conjugaison, le radical ne change généralement pas, c'est la terminaison qui varie en fonction de la voix, du mode, du temps et de la personne qui est sujet du verbe.

→ On répartit les verbes français en trois groupes.

– Le 1er groupe compte le plus grand nombre d'entre eux (près de 90 %). Il réunit tous les verbes qui se terminent en -er à l'infinitif (sauf aller) et qui, à la 1re et à la 3e personne du singulier du présent de l'indicatif, ont une terminaison en -e (je lave, il lave).

Tous ces verbes se conjuguent de la même manière (sauf envoyer), selon notre verbe modèle laver (tableau n° 3) : ils sont dits « réguliers ». Les nouveaux verbes qui se créent appartiennent à ce groupe.

Certains verbes du 1er groupe font toutefois l'objet de tableaux particuliers (nos 4 à 13) : ces verbes présentent non pas des irrégularités de conjugaison mais des modifications orthographiques et phonétiques du radical (par exemple lever, qui donnera je lève au présent de l'indicatif).

– Le 2e groupe est lui aussi d'une conjugaison régulière (sauf pour le verbe haïr). Il réunit tous les verbes se terminant par -ir à l'infinitif et par -issant au participe présent. Ces verbes se conjuguent sur le modèle de finir (tableau n° 15).

– Les autres verbes font partie du 3e groupe. Ces verbes sont dits « irréguliers » car ils suivent de multiples règles dans la variation des radicaux et des terminaisons. Leur infinitif se termine soit en -ir (avec un participe présent en -ant et non en -issant comme dans le 2e groupe), soit en -oir, soit en -re ; on y ajoutera le verbe irrégulier aller. Leur conjugaison fait l'objet des tableaux nos 17 à 77.

➡ On appelle « défectifs » les verbes qui ne se conjuguent pas à certains modes, à certains temps ou à certaines personnes (ils sont signalés par « d » dans la liste).
On peut ranger dans cette catégorie les verbes impersonnels : ils ne se conjuguent qu'à la 3ᵉ personne du singulier, avec le pronom neutre « il » (il pleut, il vente).

➡ Aux temps composés de la voix active (voix dans laquelle se présentent les tableaux de conjugaison), les verbes se conjuguent généralement avec l'auxiliaire « avoir ».
Certains verbes utilisent l'auxiliaire « être », d'autres, selon le sens, utilisent l'auxiliaire « être » ou l'auxiliaire « avoir » : l'emploi de l'auxiliaire est alors systématiquement précisé dans la liste des verbes (par [ê] ou [ê/a]).

– Dans la conjugaison à la voix passive, on utilise l'auxiliaire « être » (voir tableau et encadré pp. 92-93).

– Dans la conjugaison à la forme pronominale, on utilise aussi l'auxiliaire « être » (voir tableau et encadré pp. 94-95).

➡ On distingue les verbes transitifs et les verbes intransitifs. Les verbes transitifs appellent un complément d'objet. Ils sont « transitifs directs » quand le complément d'objet est direct, c'est-à-dire relié au verbe sans préposition (il lave sa chemise) ; ils sont « transitifs indirects » quand le complément d'objet est indirect, c'est-à-dire relié au verbe par une préposition (il participe à la réunion).

Les verbes « intransitifs », exprimant à eux seuls l'action faite par le sujet, se construisent sans complément d'objet ; ils peuvent bien sûr être accompagnés de compléments circonstanciels (il marche, il marche vite, il marche de Paris à Versailles).
On classe parmi eux les « verbes d'état », qui permettent de relier un attribut au sujet (il semble content).

# La liste des verbes

## INDICATIONS DONNÉES À LA SUITE DES VERBES

(se) ou (s') :
ces verbes n'existent qu'à la forme pronominale (cf. « s'absenter »).

[ê] :
ces verbes, aux temps composés de la forme active, se conjuguent avec
l'auxiliaire « être » (comme « arriver », qui donnera « elle est arrivée »).

[ê/a] :
ces verbes, aux temps composés de la forme active, se conjuguent,
selon leurs emplois, soit avec l'auxiliaire « être », soit avec l'auxiliaire
« avoir » (comme « monter », qui donnera « je suis monté chez vous »
ou « j'ai monté cent marches »).

Sans mention particulière, le verbe se conjugue avec l'auxiliaire
« avoir » aux temps composés de la forme active.

d :
signale que le verbe est défectif.
d suivi d'un numéro de tableau : ce verbe défectif fait à lui seul l'objet
d'un tableau de conjugaison ;
d ✔ suivi d'un numéro de tableau : les explications sont données dans
l'encadré accompagnant le tableau de conjugaison.

3 :
le chiffre renvoie au tableau type de conjugaison (ici, à la conjugaison
de « laver », n° 3) ; suivi de deux numéros, le verbe cumule la
conjugaison de deux tableaux modèles (cf. « abréger », nᵒˢ 10+9).

✔ :
ce signe précédant le numéro signifie que le verbe relève de ce modèle
mais qu'il présente une ou des particularités de conjugaison. Ces
particularités sont expliquées, à la suite du ✔, dans l'encadré qui
accompagne le tableau.

On remarquera, derrière certains verbes, une lettre entre crochets ; elle
indique l'origine de ces verbes utilisés dans le monde francophone : [A]
= africanisme ; [B] = belgicisme ; [C] = canadianisme (d'Acadie ou du
Québec) ; [H] = helvétisme.

adapter ...................3
additionner ..............3
adhérer ..................10
adjectiver ................3
adjoindre ................51
adjuger ....................9
adjurer ....................3
admettre ................65
administrer ..............3
admirer ....................3
admonester .............3
adonner (s') .............3
adopter ....................3
adorer......................3
adosser....................3
adouber....................3
adoucir ..................15
adresser...................3
aduler .....................3
advenir [ê] ......d ✓18
aérer .....................10
affabuler .................3
affadir ...................15
affaiblir ..................15
affairer (s') ..............3
affaisser...................3
affaler .....................3
affamer ...................3
affecter ...................3
affectionner..............3
affermer ..................3

affermir..................15
afficher ....................3
affiler .....................3
affilier .....................3
affiner .....................3
affirmer ...................3
affleurer ..................3
affliger ....................9
affluer .....................3
affoler .....................3
affouiller ..................3
affourcher ...............3
affranchir ...............15
affréter ..................10
affrioler ...................3
affronter ..................3
affubler ...................3
affûter ....................3
africaniser................3
agacer......................8
agencer....................8
agender..............[H] 3
agenouiller (s') ........3
agglomérer ............10
agglutiner ................3
aggraver ..................3
agioter .....................3
agir .......................15
agiter .......................3
agneler ....................4
agonir....................15

agoniser ..................3
agrafer .....................3
agrandir.................15
agréer ......................3
agréger .............10+9
agrémenter .............3
agresser...................3
agripper...................3
aguerrir ..................15
aguicher ..................3
aguiller ..............[H] 3
ahaner .....................3
ahurir.....................15
aider .......................3
aigrir......................15
aiguiller ...................3
aiguillonner .............3
aiguiser ...................3
ailler ........................3
aimanter ..................3
aimer .......................3
ajourer .....................3
ajourner...................3
ajouter .....................3
ajuster .....................3
alanguir .................15
alarmer ....................3
alcooliser..................3
alerter .....................3
aléser ....................10
aleviner....................3

| | | |
|---|---|---|
| baragouiner............ 3 | battre .....................66 | bichonner................3 |
| baratiner.................3 | bavarder .................3 | bidonner .................3 |
| baratter ..................3 | bavasser .................3 | bidouiller................3 |
| barber......................3 | baver ......................3 | biffer .......................3 |
| barbifier..................3 | bayer .....................12 | bifurquer ...............3 |
| barboter..................3 | bazarder..................3 | bigarrer...................3 |
| barbouiller.............. 3 | béatifier ..................3 | bigler.......................3 |
| bardasser...........[C] 3 | bêcher ....................3 | bigorner ..................3 |
| barder......................3 | bécoter ...................3 | biler (se).................3 |
| baréter ..................10 | becqueter...............6 | biner.........................3 |
| barguigner...............3 | becter .....................3 | biseauter.................3 |
| barguiner .......... [C] 3 | bedonner ................3 | biser.........................3 |
| barioler....................3 | béer......................✓3 | bisquer ...................3 |
| barjaquer ..........[H] 3 | bégayer..................12 | bisser ......................3 |
| barouder ................3 | bégueter ..................7 | bistrer.......................3 |
| barrer......................3 | bêler .......................3 | bitumer....................3 |
| barricader...............3 | bénéficier ...............3 | biturer (se) .............3 |
| barrir .....................15 | bénir ...................✓15 | bivouaquer ............. 3 |
| basaner...................3 | béquer ...................10 | bizuter ....................3 |
| basculer...................3 | béqueter .................6 | blablater .................3 |
| baser ......................3 | bercer......................8 | blackbouler .............3 |
| bâsir ................[C] 15 | berdasser..........[C] 3 | blaguer.....................3 |
| bassiner...................3 | berner......................3 | blairer......................3 |
| baster................[H] 3 | besogner ................ 3 | blâmer .....................3 |
| bastonner ...............3 | bêtifier ....................3 | blanchir..................15 |
| batailler ..................3 | bétonner ..................3 | blaser ......................3 |
| bateler .....................4 | beugler ................... 3 | blasphémer ...........10 |
| bâter ......................3 | beurrer.....................3 | blatérer ..................10 |
| batifoler ..................3 | biaiser .....................3 | blêmir.....................15 |
| bâtir .....................15 | biberonner ..............3 | bléser .....................10 |
| batoiller ............[H] 3 | bicher ......................3 | blesser ...................3 |

| | | |
|---|---|---|
| bringuer............[H] 3 | buser...............[B] 3 | calamistrer..............3 |
| briquer..................3 | busquer..................3 | calciner.................3 |
| briqueter................6 | buter......................3 | calculer.................3 |
| briser....................3 | butiner...................3 | caler .....................3 |
| brocanter ..............3 | butter....................3 | calfater.................3 |
| brocarder ..............3 | | calfeutrer ..............3 |
| brocher..................3 | | calibrer .................3 |
| broder...................3 | # C | câliner...................3 |
| broncher................3 | | calligraphier ...........3 |
| bronzer..................3 | cabaler ................. 3 | calmer ...................3 |
| brosser..................3 | câbler ...................3 | calomnier ...............3 |
| brouetter...............3 | cabosser................3 | calorifuger ..............9 |
| brouillasser.......d ✓3 | caboter ..................3 | calotter ..................3 |
| brouiller................3 | cabotiner ...............3 | calquer ..................3 |
| brouillonner ...........3 | cabrer ...................3 | cal(e) ter ...............3 |
| brouter..................3 | cabrioler ................3 | camber..............[H] 3 |
| broyer..................13 | cacarder .................3 | cambrer .................3 |
| bruiner.............d ✓3 | cacher...................3 | cambrioler ..............3 |
| bruire.............d ✓61 | cacheter.................6 | camer (se) ..............3 |
| bruiter..................3 | cadastrer ...............3 | camionner ..............3 |
| brûler...................3 | cadenasser .............3 | camoufler ..............3 |
| brumasser.........d ✓3 | cadencer.................8 | camper [ê/a].........3 |
| brumer.............d ✓3 | cadrer ...................3 | canaliser ................3 |
| brunir ..................15 | cafarder .................3 | canarder ................3 |
| brusquer................3 | cafouiller ...............3 | cancaner ................3 |
| brutaliser...............3 | cafter ...................3 | caner .....................3 |
| bûcher..................3 | cahoter ..................3 | canneler................4 |
| budgétiser .............3 | cailler ...................3 | canner ...................3 |
| buller....................3 | caillouter ...............3 | cannibaliser.............3 |
| bureaucratiser .........3 | cajoler ..................3 | canoniser................3 |
| buriner..................3 | calaminer................3 | canonner.................3 |

| | | |
|---|---|---|
| canoter ..................3 | carier .....................3 | caver.......................3 |
| canter................[C] 3 | carillonner ..............3 | caviarder.................3 |
| cantonner ...............3 | carotter ..................3 | céder .....................10 |
| canuler ..................3 | carreler ..................4 | ceindre ..................51 |
| caoutchouter ...........3 | carrer .....................3 | ceinturer .................3 |
| caparaçonner...........3 | carrosser ................3 | célébrer ................10 |
| capeler....................4 | carroyer .................13 | celer .......................5 |
| caper .....................3 | cartographier...........3 | cendrer ...................3 |
| capitaliser...............3 | cartonner ................3 | censurer .................3 |
| capitonner ..............3 | cartoucher..........[A] 3 | centraliser...............3 |
| capituler .................3 | cascader .................3 | centrer ...................3 |
| capoter ..................3 | caser......................3 | centrifuger ..............9 |
| capsuler..................3 | caserner .................3 | centupler ...............3 |
| capter ....................3 | casquer ..................3 | cercler ...................3 |
| captiver..................3 | casser .....................3 | cerner ....................3 |
| capturer..................3 | castagner ................3 | certifier ...................3 |
| capuchonner ...........3 | castrer ....................3 | cesser [ê/a] ...........3 |
| caquer ...................3 | cataloguer...............3 | chagriner.................3 |
| caqueter..................6 | catalyser .................3 | chahuter .................3 |
| caracoler.................3 | catapulter ...............3 | chaîner ...................3 |
| caractériser .............3 | catastropher ............3 | chalouper ...............3 |
| caramboler ..............3 | catcher....................3 | chamailler (se) ........3 |
| caraméliser..............3 | catéchiser ...............3 | chamarrer ...............3 |
| carapater (se) ..........3 | catégoriser...............3 | chambarder .............3 |
| carboniser ..............3 | catir ......................15 | chambouler .............3 |
| carburer..................3 | cauchemarder..........3 | chambrer .................3 |
| carder ....................3 | causer.....................3 | chamoiser ...............3 |
| caréner ..................10 | cautériser ................3 | champagniser..........3 |
| caresser..................3 | cautionner ..............3 | chanceler ...............4 |
| carguer ...................3 | cavalcader ..............3 | changer [ê/a] ...........9 |
| caricaturer ..............3 | cavaler....................3 | chansonner .............3 |

| | | |
|---|---|---|
| chanter ...................3 | cheviller...................3 | christianiser.............3 |
| chantonner ..............3 | chevronner ..............3 | chromer.....................3 |
| chantourner.............3 | chevroter .................3 | chronométrer.........10 |
| chaparder ................3 | chiader .....................3 | chuchoter .................3 |
| chapeauter ..............3 | chialer ......................3 | chuinter ....................3 |
| chaperonner ............3 | chicaner....................3 | chuter .......................3 |
| chapitrer ..................3 | chicoter .................. 3 | cibler .........................3 |
| chaptaliser...............3 | chicotter..........[A] 3 | cicatriser...................3 |
| charbonner ..............3 | chier .........................3 | cicler...................[H] 3 |
| charcuter .................3 | chiffonner ................3 | ciller .........................3 |
| charger.....................9 | chiffrer.....................3 | cimenter ...................3 |
| charmer ....................3 | chiner.......................3 | cingler .......................3 |
| charpenter ...............3 | chinoiser .................3 | cintrer .......................3 |
| charrier.....................3 | chiper .......................3 | circoncire..........✓76 |
| charroyer...............13 | chipoter ...................3 | circonscrire ...........58 |
| chasser.....................3 | chiquer.....................3 | circonstancier..........3 |
| châtier ......................3 | chlinguer ..................3 | circonvenir .............18 |
| chatouiller ...............3 | chlorer......................3 | circuler .....................3 |
| chatoyer...............13 | chloroformer ...........3 | cirer ..........................3 |
| châtrer......................3 | choir [ê].........d ✓46 | cisailler .....................3 |
| chauffer....................3 | choisir.....................15 | ciseler........................5 |
| chauler .....................3 | chômer .....................3 | citer ..........................3 |
| chaumer ...................3 | choper ......................3 | civiliser......................3 |
| chausser...................3 | chopiner ...................3 | clabauder..................3 |
| chavirer [ê/a]..........3 | chopper ....................3 | claironner .................3 |
| cheminer ..................3 | choquer ....................3 | clamecer............11+8 |
| chemiser ..................3 | chosifier ...................3 | clamer ......................3 |
| chercher ...................3 | chouchouter .............3 | clamser......................3 |
| chérir.......................15 | choufer..............[A] 3 | clapir .......................15 |
| chevaler ...................3 | chouraver .................3 | clapoter ....................3 |
| chevaucher...............3 | choyer ....................13 | claquemurer .............3 |

# D

| | | |
|---|---|---|
| défarder ..................3 | défricher ..................3 | dégourbifier .......[A] 3 |
| défatiguer ...............3 | défriper ....................3 | dégourbiser .......[A] 3 |
| défausser ................3 | défriser ....................3 | dégourdir .............15 |
| défavoriser..............3 | défroisser ...............3 | dégoûter ..................3 |
| défendre ................47 | défroncer .................8 | dégoutter ..................3 |
| défenestrer..............3 | défroquer .................3 | dégrader ...................3 |
| déféquer ................10 | dégager ...................9 | dégrafer ...................3 |
| déférer ..................10 | dégainer ..................3 | dégraisser................3 |
| déferler ...................3 | déganter ..................3 | dégréer ....................3 |
| déferrer ...................3 | dégarnir..................15 | dégrever ...............11 |
| défeuiller ................3 | dégauchir ..............15 | dégringoler..............3 |
| défeutrer .................3 | dégazer ....................3 | dégriser ...................3 |
| défibrer ...................3 | dégazonner..............3 | dégrossir...............15 |
| déficeler .................4 | dégeler [ê/a]..........5 | dégrouiller (se) .......3 |
| défier .....................3 | dégêner...........[C] 3 | dégrouper................3 |
| défiger ....................9 | dégénérer [ê/a]......10 | déguerpir...............15 |
| défigurer .................3 | dégermer ..................3 | dégueuler ................3 |
| défilandrer .........[B] 3 | dégîter ....................3 | déguiller ............[H] 3 |
| défiler .....................3 | dégivrer ...................3 | déguiser ..................3 |
| définir ...................15 | déglacer....................8 | dégurgiter ...............3 |
| défiscaliser .............3 | déglinguer ...............3 | déguster ..................3 |
| défleurir ................15 | dégluer ....................3 | déhaler ....................3 |
| déflorer ...................3 | déglutir...................15 | déhancher ...............3 |
| défolier ...................3 | dégobiller .................3 | déharnacher ............3 |
| défoncer ..................8 | dégoiser ..................3 | déifier .....................3 |
| déformer..................3 | dégommer...............3 | déjanter ...................3 |
| défouler ...................3 | dégonfler .................3 | déjauger ..................9 |
| défourner .................3 | dégorger...................9 | déjeter .....................6 |
| défraîchir ..............15 | dégot(t)er .................3 | déjeuner ..................3 |
| défranciser..............3 | dégouliner ...............3 | déjouer ....................3 |
| défrayer .................12 | dégoupiller ..............3 | déjucher ..................3 |

| | | |
|---|---|---|
| dénommer...............3 | dépendre...............47 | dépondre.........[H] 47 |
| dénoncer...............8 | dépenser...............3 | déporter...................3 |
| dénoter...................3 | dépérir...................15 | déposer...................3 |
| dénouer...................3 | dépersonnaliser.......3 | déposséder............10 |
| dénoyauter.............3 | dépêtrer...................3 | dépoter...................3 |
| densifier...................3 | dépeupler...............3 | dépouiller...............3 |
| denteler....................4 | déphaser...............3 | dépoussiérer.........10 |
| dénucléariser..........3 | dépiauter...................3 | dépraver...................3 |
| dénuder...................3 | dépiler...................3 | déprécier...................3 |
| dénuer...................3 | dépingler...............3 | déprendre (se).....48 |
| dépailler...................3 | dépiquer...................3 | dépressuriser.........3 |
| dépanner...................3 | dépister...................3 | déprimer...................3 |
| dépaqueter.............6 | dépiter...................3 | dépriser...................3 |
| déparasiter..............3 | déplacer...................8 | déprogrammer........3 |
| dépareiller...............3 | déplafonner.............3 | dépuceler................4 |
| déparer...................3 | déplaire.................54 | dépulper...................3 |
| déparier...................3 | déplanter...............3 | dépurer...................3 |
| déparler...................3 | déplâtrer...............3 | députer...................3 |
| départager.............9 | déplier...................3 | déqualifier...............3 |
| départementaliser....3 | déplisser...................3 | déquiller...................3 |
| départir...................19 | déplomber...............3 | déraciner...................3 |
| dépasser...................3 | déplorer...................3 | dérader...................3 |
| dépassionner..........3 | déployer...............13 | dérager...................9 |
| dépatouiller (se)......3 | déplumer...................3 | déraidir...................15 |
| dépaver...................3 | dépoétiser...............3 | dérailler...................3 |
| dépayser...................3 | dépointer...................3 | déraisonner.............3 |
| dépecer...........11+8 | dépolariser.............3 | déramer...................3 |
| dépêcher...................3 | dépolir...................15 | déranger...................9 |
| dépeigner...............3 | dépolitiser...............3 | déraper...................3 |
| dépeindre...............51 | dépolluer...............3 | déraser...................3 |
| dépénaliser.............3 | dépolymériser.........3 | dérater...................3 |

embrancher .............3
embraser .................3
embrasser................3
embrayer ...............12
embrigader .............3
embringuer ..............3
embrocher ..............3
embrouiller..............3
embroussailler .......3
embrumer................3
embuer ...................3
embusquer .............3
émécher................10
émerger ..................9
émeriser .................3
émerveiller..............3
émettre .................65
émier .....................3
émietter .................3
émigrer ...................3
émincer ..................8
emmagasiner...........3
emmailloter .............3
emmancher .............3
emmêler .................3
emménager .............9
emmener ...............11
emmerder................3
emmieller ................3
emmitonner .............3
emmitoufler .............3

emmouscailler........3
emmurer..................3
émonder .................3
émorfiler .................3
émotionner .............3
émotter ..................3
émoucher ...............3
émoucheter ............6
émoudre ...............75
émousser ................3
émoustiller .............3
émouvoir...........✓43
émoyer (s’) ......[C] 13
empailler ................3
empaler ..................3
empalmer ...............3
empanacher ............3
empanner ...............3
empapilloter ............3
empaqueter ............6
emparer (s’) ............3
empâter .................3
empatter ................3
empaumer ..............3
empêcher................3
empeigner ..............3
empenner ...............3
empeser...............11
empester.................3
empêtrer .................3
empierrer................3

empiéter ...............10
empiffrer (s’)............3
empiler ...................3
empirer [ê/a] ..........3
emplâtrer ...............3
emplir....................15
employer ..............13
emplumer ...............3
empocher ...............3
empoigner ..............3
empoisonner ...........3
empoisser................3
empoissonner .........3
emporter.................3
empoter..................3
empourprer .............3
empoussiérer ........10
empreindre............51
empresser (s’) .........3
emprisonner............3
emprunter...............3
empuantir...............15
émulsifier ...............3
émulsionner ...........3
enamourer (s’)..........3
énamourer (s’)..........3
encabaner ..............3
encadrer .................3
encager...................9
encaisser ................3
encanailler...............3

| | | |
|---|---|---|
| escher.....................3 | estourbir................15 | étoupiller.................3 |
| esclaffer (s').............3 | estrapader................3 | étourdir .................15 |
| escompter...............3 | estrapasser..............3 | étrangler .................3 |
| escorter ....................3 | estropier ..................3 | être ......................1 |
| escrimer (s') .............3 | établir .....................15 | étrécir....................15 |
| escroquer................3 | étager .....................9 | étreindre................51 |
| espacer.....................8 | étalager....................9 | étrenner .................3 |
| espagnoliser............3 | étaler .....................3 | étrésillonner ............3 |
| espérer ....................10 | étalonner ................3 | étriller .....................3 |
| espionner ...............3 | étamer .....................3 | étriper .....................3 |
| esquicher...............3 | étamper ...................3 | étriquer ...................3 |
| esquinter .................3 | étancher ..................3 | étudier ....................3 |
| esquisser..................3 | étançonner ..............3 | étuver .....................3 |
| esquiver...................3 | étarquer ...................3 | euphoriser ...............3 |
| essaimer..................3 | étatiser ....................3 | européaniser ...........3 |
| essarter....................3 | étayer.....................12 | européiser ...............3 |
| essayer ...................12 | éteindre .................51 | évacuer....................3 |
| essorer ....................3 | étendre ..................47 | évader (s') ...............3 |
| essoriller ..................3 | éterniser .................3 | évaluer.....................3 |
| essoucher...............3 | éternuer ..................3 | évangéliser .............3 |
| essouffler.................3 | étêter .....................3 | évanouir (s').............15 |
| essuyer...................13 | éthérifier .................3 | évaporer ..................3 |
| estamper..................3 | étinceler ..................4 | évaser .....................3 |
| estampiller...............3 | étioler .....................3 | éveiller.....................3 |
| ester................d ✓3 | étiqueter .................6 | éventer.....................3 |
| estérifier ..................3 | étirer .....................3 | éventrer ...................3 |
| estimer ....................3 | étoffer .....................3 | évertuer (s') .............3 |
| estiver......................3 | étoiler .....................3 | évider .....................3 |
| estomaquer .............3 | étonner ...................3 | évincer.....................8 |
| estomper .................3 | étouffer ...................3 | éviscérer................10 |
| estoquer ..................3 | étouper ...................3 | éviter ......................3 |

# F

| | | |
|---|---|---|
| flasher .....................3 | folioter .....................3 | foulonner ...............3 |
| flatter ......................3 | fomenter .................3 | fourbir ....................15 |
| flécher .................10 | foncer ......................8 | fourcher ...................3 |
| fléchir ...................15 | fonctionnaliser ........3 | fourgonner .............3 |
| flemmarder ..............3 | fonctionnariser ........3 | fourguer ..................3 |
| flemmasser...............3 | fonctionner .............3 | fourmiller ................3 |
| flétrir......................15 | fonder ......................3 | fournir ...................15 |
| fleurer ......................3 | fondre ..................47 | fourrager .................9 |
| fleurir .................✓15 | forbir ...............[C] 15 | fourrer ....................3 |
| flexibiliser .................3 | forcer ......................8 | fourvoyer ...............13 |
| flibuster .....................3 | forcir ...................15 | foutre .............d ✓47 |
| flinguer ....................3 | forclore ..........d ✓77 | fracasser ................3 |
| flipper .....................3 | forer ........................3 | fractionner .............3 |
| flirter .......................3 | forfaire .........d ✓53 | fracturer ..................3 |
| floconner .................3 | forger ......................9 | fragiliser .................3 |
| floculer ....................3 | formaliser .................3 | fragmenter .............3 |
| floquer ....................3 | formater ...................3 | fraîchir ...................15 |
| flotter......................3 | former ......................3 | fraiser .....................3 |
| flouer ......................3 | formoler ...................3 | framboiser ..............3 |
| fluctuer ...................3 | formuler ...................3 | franchir ...................15 |
| fluer ........................3 | forniquer ..................3 | franchiser ...............3 |
| fluidifier ...................3 | fortifier......................3 | franciser .................3 |
| fluidiser ...................3 | fossiliser ...................3 | franger ....................9 |
| fluoriser ...................3 | fossoyer...................13 | fransquillonner ..[B] 3 |
| flûter ......................3 | fouailler ....................3 | frapper ....................3 |
| fluxer ......................3 | foudroyer...............13 | fraterniser ...............3 |
| focaliser ...................3 | fouetter ....................3 | frauder ....................3 |
| fœhner ...............[H] 3 | fouiller .....................3 | frayer .....................12 |
| foirer........................3 | fouiner .....................3 | fredonner ................3 |
| foisonner ..................3 | fouir.......................15 | freiner .....................3 |
| folâtrer......................3 | fouler ......................3 | frelater ....................3 |

gendarmer (se)........3
gêner......................3
généraliser...............3
générer...................10
géométriser .............3
gerber.....................3
gercer.....................8
gérer......................10
germaniser ..............3
germer....................3
gésir...................d 32
gesticuler................3
giboyer...................13
gicler......................3
gifler......................3
gigoter....................3
girouetter................3
gîter.......................3
givrer......................3
glacer.....................8
glairer.....................3
glaiser ....................3
glander...................3
glandouiller.............3
glaner.....................3
glapir......................15
glatir.......................15
glavioter .................3
glisser ....................3
globaliser ...............3
glorifier...................3

gloser .....................3
glouglouter..............3
glousser .................3
glycériner ...............3
gober......................3
goberger (se) ..........9
godailler .................3
goder......................3
godiller....................3
goguenarder............3
goinfrer (se) ...........3
gominer...................3
gommer...................3
gondoler..................3
gonfler....................3
gorger.....................9
gosser...............[C] 3
gouacher ................3
gouailler .................3
goudronner .............3
goujonner................3
goupiller..................3
goupillonner............3
gourbiller ................3
gourer (se) ..............3
gourmander............3
goûter.....................3
goutter....................3
gouverner................3
gracier ....................3
graduer...................3

grafigner ..........[C] 3
grailler....................3
graillonner..............3
grainer....................3
graisser ..................3
grammaticaliser.......3
grandir [ê/a]..........15
graniter...................3
granuler..................3
graphiter.................3
grappiller................3
grasseyer................3
gratifier...................3
gratiner...................3
gratter....................3
graver.....................3
gravir......................15
graviter...................3
gréciser ..................3
grecquer..................3
gréer......................3
greffer ....................3
grêler ..............d ✓3
grelotter..................3
grenailler ...............3
greneler ..................4
grener....................11
grenouiller..............3
gréser....................10
grésiller ..................3
grever....................11

gribouiller ...............3
gricher ...............[C] 3
griffer.....................3
griffonner ...............3
grigner....................3
grignoter ...............3
grillager..................9
griller....................3
grimacer..................8
grimer....................3
grimper...................3
grincer....................8
gripper....................3
grisailler.................3
griser.....................3
grisoller..................3
grisonner.................3
griveler...................4
grognasser ...............3
grogner ...................3
grognonner ...............3
grommeler................4
gronder ...................3
grossir [ê/a] .........15
grossoyer...............13
grouiller..................3
grouper ..................3
gruger....................9
grumeler (se)...........4
gruter....................3
guéer.....................3

guérir.....................15
guerroyer...............13
guêtrer....................3
guetter ...................3
gueuler ...................3
gueuletonner ...........3
guider.....................3
guigner....................3
guillemeter ..............6
guillocher ...............3
guillotiner...............3
guincher ..................3
guindailler .........[B] 3
guinder...................3

# H

habiliter ..................3
habiller ...................3
habiter....................3
habituer ..................3
hacher ....................3
hachurer ..................3
haïr........................16
haler ......................3
hâler ......................3
haleter ....................7
halluciner ...............3
hameçonner .............3
hancher ...................3

handicaper ...............3
hannetonner .............3
hanter .....................3
happer ....................3
haranguer .................3
harasser...................3
harceler ...................5
harmoniser ...............3
harnacher .................3
harponner ................3
hasarder ...................3
hâter ......................3
haubaner ..................3
hausser....................3
haver ......................3
héberger ..................9
hébéter ...................10
hébraïser ..................3
héler ......................10
hélitreuiller ...............3
helléniser..................3
hennir ....................15
herbager ..................9
herber .....................3
herboriser .................3
hérisser ...................3
hérissonner ...............3
hériter .....................3
héroïser ...................3
herser .....................3
hésiter .....................3

| | | |
|---|---|---|
| intercepter ...............3 | invaginer (s') ...........3 | jaillir .......................15 |
| interclasser ..............3 | invalider ..................3 | jalonner ...................3 |
| interconnecter .........3 | invectiver ................3 | jalouser ...................3 |
| interdire ...............✓57 | inventer ...................3 | japoniser ..................3 |
| intéresser.................3 | inventorier ..............3 | japper .......................3 |
| interférer ................10 | inverser ...................3 | jardiner....................3 |
| intérioriser ...............3 | invertir ....................15 | jargonner ................3 |
| interjeter .................6 | investir ....................15 | jarreter .....................6 |
| interligner ...............3 | invétérer (s') .........10 | jaser .......................3 |
| interloquer...............3 | inviter .....................3 | jasper .......................3 |
| internationaliser ......3 | invoquer...................3 | jaspiner ...................3 |
| interner....................3 | ioder .......................3 | jasser ...............[H] 3 |
| interpeller ...............3 | iodler .......................3 | jauger .......................9 |
| interpénétrer (s')....10 | ioniser .....................3 | jaunir ......................15 |
| interpoler .................3 | iouler .......................3 | javeler.......................4 |
| interposer ...............3 | iriser .......................3 | javelliser ..................3 |
| interpréter ..............10 | ironiser ....................3 | jeter ........................6 |
| interroger ................9 | irradier ....................3 | jeûner ......................3 |
| interrompre ...........50 | irriguer ....................3 | jobarder....................3 |
| intervenir [ē]..........18 | irriter .......................3 | jodler .......................3 |
| intervertir ...............15 | Islamiser...................3 | joindre....................51 |
| interviewer ..............3 | isoler .......................3 | jointoyer ................13 |
| intimer......................3 | italianiser.................3 | joncher ....................3 |
| intimider...................3 | | jongler......................3 |
| intituler....................3 | | jouailler ...................3 |
| intoxiquer.................3 | **J** | jouer .......................3 |
| intriguer....................3 | | jouir.........................15 |
| intriquer....................3 | jabler ......................3 | jouter .......................3 |
| introduire .............61 | jaboter ....................3 | jouxter .....................3 |
| introniser.................3 | jacasser ..................3 | jubiler......................3 |
| intuber.....................3 | jacter ......................3 | jucher......................3 |

| | | |
|---|---|---|
| mouf(e)ter .............3 | mutualiser ...............3 | neigeasser...[C] d ✓3 |
| mouillasser [C]d✓3 | mystifier ..................3 | neigeoter..........d ✓3 |
| mouiller....................3 | mythifier ..................3 | neiger .............d ✓9 |
| mouler.....................3 | | nervurer...................3 |
| mouliner...................3 | **N** | nettoyer ................13 |
| moulurer ..................3 | | neutraliser ..............3 |
| mourir [ê].............24 | | niaiser...............[C] 3 |
| mousser ..................3 | nacrer.....................3 | nicher......................3 |
| moutonner ..............3 | nager......................9 | nickeler....................4 |
| mouvementer .........3 | naître [ê]...............64 | nicotiniser ...............3 |
| mouvoir...................43 | nanifier....................3 | nidifier.....................3 |
| moyenner ...............3 | naniser....................3 | nieller......................3 |
| mucher....................3 | nantir.....................15 | nier.........................3 |
| muer.......................3 | napper....................3 | nimber.....................3 |
| mugir.....................15 | narguer....................3 | nipper......................3 |
| multiplier.................3 | narrer......................3 | niquer......................3 |
| municipaliser ..........3 | nasaliser..................3 | nitrater.....................3 |
| munir.....................15 | nasiller....................3 | nitrer.......................3 |
| murer......................3 | nationaliser..............3 | nitrifier.....................3 |
| mûrir .....................15 | natter......................3 | niveler .....................4 |
| murmurer ...............3 | naturaliser ..............3 | noircir....................15 |
| musarder ................3 | naufrager.................9 | noliser .....................3 |
| muscler ..................3 | naviguer ..................3 | nomadiser ...............3 |
| museler ...................4 | navrer .....................3 | nombrer ..................3 |
| muser ......................3 | nazifier....................3 | nominaliser ..............3 |
| musiquer .................3 | néantiser .................3 | nominer ...................3 |
| musquer ..................3 | nébuliser .................3 | nommer ...................3 |
| musser ....................3 | nécessiter ...............3 | nordir ....................15 |
| muter ......................3 | nécroser ..................3 | normaliser ...............3 |
| mutiler ....................3 | négliger ...................9 | noter .......................3 |
| mutiner (se).............3 | négocier ..................3 | notifier.....................3 |

| | | |
|---|---|---|
| personnaliser ..........3 | pierrer......................3 | pistacher..................3 |
| personnifier.............3 | piéter .....................10 | pister ......................3 |
| persuader ................3 | piétiner ....................3 | pistonner .................3 |
| perturber .................3 | piétonner ..........[A] 3 | pitonner ...................3 |
| pervertir................15 | pieuter .....................3 | pivoter .....................3 |
| peser .....................11 | pifer .........................3 | placarder .................3 |
| pester .....................3 | pigeonner .................3 | placer ......................8 |
| pétarader .................3 | piger.........................9 | placoter.............[C] 3 |
| péter .....................10 | pigmenter .................3 | plafonner .................3 |
| pétiller ....................3 | pignocher .................3 | plagier .....................3 |
| pétitionner ..............3 | pigouiller ..........[C] 3 | plaider .....................3 |
| pétouiller ..........[H] 3 | piler.........................3 | plaindre ................51 |
| pétrifier ...................3 | piller........................3 | plaire .....................54 |
| pétrir.....................15 | pilonner ...................3 | plaisanter.................3 |
| pétuner ...................3 | piloter ......................3 | planchéier ................3 |
| peupler ...................3 | pimenter ..................3 | plancher ...................3 |
| phagocyter ..............3 | pinailler ...................3 | planer ......................3 |
| philosopher.............3 | pincer.......................8 | planifier ...................3 |
| phosphater .............3 | piner ........................3 | planquer ...................3 |
| phosphorer..............3 | pinter .......................3 | planter .....................3 |
| photocopier.............3 | pintoiller ..........[H] 3 | plaquer .....................3 |
| photographier..........3 | piocher .....................3 | plasmifier .................3 |
| phraser ...................3 | pioncer ....................8 | plastifier ...................3 |
| piaffer .....................3 | piper ........................3 | plastiquer .................3 |
| piailler ....................3 | pique-niquer ...........3 | plastronner ...............3 |
| pianoter ..................3 | piquer ......................3 | platiner .....................3 |
| piauler ....................3 | piqueter ...................6 | platiniser ..................3 |
| picoler ....................3 | pirater ......................3 | plâtrer ......................3 |
| picorer ....................3 | pirouetter.................3 | plébisciter.................3 |
| picoter ....................3 | pisser ......................3 | pleumer ..........[C] 3 |
| piéger ...............10+9 | pissoter ...................3 | pleurer......................3 |

| | | |
|---|---|---|
| raffûter ...................3 | ramasser ..................3 | rapporter ................3 |
| rafistoler ................3 | ramender ................3 | rapprendre ...........48 |
| rafler .......................3 | ramener ................11 | rapprocher ............3 |
| rafraîchir ..............15 | ramer ......................3 | raquer .....................3 |
| ragaillardir ...........15 | rameuter ................3 | raréfier ...................3 |
| rager .......................9 | ramifier ..................3 | raser ........................3 |
| ragoter ...................3 | ramollir ................15 | rassasier ..................3 |
| ragoûter .................3 | ramoner ..................3 | rassembler ..............3 |
| ragrafer ..................3 | ramper ....................3 | rasseoir .................41 |
| randomiser .............3 | rancarder ................3 | rasséréner ..............10 |
| ragréer ...................3 | rancir ...................15 | rassir .............d ✓15 |
| raguer .....................3 | rançonner ...............3 | rassortir .................15 |
| raidir .....................15 | randonner ...............3 | rassurer ...................3 |
| railler .....................3 | ranger .....................9 | ratatiner .................3 |
| rainer .....................3 | ranimer ...................3 | ratatouiller ............3 |
| rainurer ..................3 | rapatrier .................3 | râteler .....................4 |
| raire .......................56 | râper .......................3 | rater ........................3 |
| raisonner ................3 | rapercher ..........[H] 3 | ratiboiser ...............3 |
| rajeunir [ê/a] ........15 | rapetasser ...............3 | ratifier ....................3 |
| rajouter ..................3 | rapetisser ...............3 | ratiner ....................3 |
| rajuster ..................3 | rapicoler ..........[H] 3 | ratiociner ...............3 |
| ralentir .................15 | rapiécer ............10+8 | rationaliser .............3 |
| râler ........................3 | rapiner ....................3 | rationner ................3 |
| ralinguer ................3 | raplatir .................15 | ratisser ...................3 |
| ralléger .............10+9 | rapointir ...............15 | rattacher ................3 |
| raller ......................3 | rappareiller ............3 | rattraper ................3 |
| rallier .....................3 | rapparier ................3 | raturer ....................3 |
| rallonger ................9 | rappeler ..................4 | rauquer ...................3 |
| rallumer .................3 | rapprecher .........[H] 3 | ravager .....................9 |
| ramager ..................9 | rappliquer ..............3 | ravaler ....................3 |
| ramancher .........[C] 3 | rappondre .......[H] 47 | ravauder ..................3 |

| | | |
|---|---|---|
| tâtonner ...................3 | tergiverser ...............3 | tirer ..........................3 |
| tatouer .....................3 | terminer...................3 | tiser .........................3 |
| taveler......................4 | ternir.....................15 | tisonner....................3 |
| taxer ........................3 | terrasser .................3 | tisser .......................3 |
| tayloriser .................3 | terreauter ................3 | titiller .......................3 |
| tchatcher..................3 | terrer .......................3 | titrer ........................3 |
| techniciser...............3 | terrifier ....................3 | tituber......................3 |
| technocratiser..........3 | terroriser .................3 | titulariser .................3 |
| teiller ......................3 | terser ......................3 | toaster .....................3 |
| teindre .................51 | tester ......................3 | toiler ........................3 |
| teinter .....................3 | tétaniser ..................3 | toiletter ....................3 |
| télécharger..............9 | téter .....................10 | toiser .......................3 |
| télécommander.......3 | têter.................[A] 3 | tolérer...................10 |
| télécopier.................3 | texturer ...................3 | tomber [ê] ................3 |
| télégraphier .............3 | texturiser .................3 | tomer .......................3 |
| téléguider ................3 | théâtraliser...............3 | tondre...................47 |
| téléphoner...............3 | thématiser................3 | tonifier .....................3 |
| télescoper................3 | théoriser ..................3 | tonitruer...................3 |
| téléviser...................3 | thésauriser...............3 | tonner ......................3 |
| télexer......................3 | tiédir .....................15 | tonsurer....................3 |
| témoigner.................3 | tiercer ......................8 | tontiner ....................3 |
| tempérer.................10 | tigrer........................3 | toper ........................3 |
| tempêter ..................3 | tiller .........................3 | toquer ..............[B] 3 |
| temporiser...............3 | tilter .........................3 | toquer (se)...............3 |
| tenailler ...................3 | timbrer.....................3 | torcher.....................3 |
| tendre....................47 | tinter........................3 | torchonner...............3 |
| tenir......................18 | tintinnabuler ............3 | tordre....................49 |
| tenonner..................3 | tip(p)er..............[H] 3 | toréer.......................3 |
| ténoriser..................3 | tiquer.......................3 | toronner ..................3 |
| tenter ......................3 | tirailler.....................3 | torpiller....................3 |
| tercer ......................8 | tire(-)bouchonner....3 | torrailler.............[H] 3 |

| | | |
|---|---|---|
| torréfier...............3 | trafiquer...............3 | transmuter..............3 |
| torsader...............3 | trahir...................15 | transparaître [ê/a] ..62 |
| tortiller................3 | traînailler.............3 | transpercer.............8 |
| tortorer................3 | traînasser.............3 | transpirer...............3 |
| torturer................3 | traîner..................3 | transplanter...........3 |
| tosser..................3 | traire....................56 | transporter............3 |
| totaliser...............3 | traiter..................3 | transposer.............3 |
| toucher................3 | tramer..................3 | transsuder.............3 |
| touer....................3 | trancher...............3 | transvaser.............3 |
| touiller.................3 | tranquilliser..........3 | transvider.............3 |
| toupiller...............3 | transbahuter.........3 | trapper..............[C] 3 |
| toupiner...............3 | transborder...........3 | traquer.................3 |
| tourber................3 | transcender..........3 | traumatiser...........3 |
| tourbillonner.........3 | transcoder............3 | travailler..............3 |
| tourillonner..........3 | transcrire.............58 | traverser...............3 |
| tourmenter...........3 | transférer............10 | travestir...............15 |
| tournailler............3 | transfigurer...........3 | trébucher [ê/a].......3 |
| tournebouler.........3 | transfiler..............3 | tréfiler..................3 |
| tourner [ê/a].........3 | transformer...........3 | treillager...............9 |
| tournicoter...........3 | transfuser............3 | treillisser..............3 |
| tourniller.............3 | transgresser.........3 | trémater...............3 |
| tourniquer............3 | transhumer...........3 | trembler...............3 |
| tournoyer.............13 | transiger...............9 | trembloter.............3 |
| tousser................3 | transir.................15 | trémousser (se).....3 |
| toussoter.............3 | transistoriser.........3 | tremper................3 |
| trabouler.............3 | transiter..............3 | trémuler...............3 |
| tracasser.............3 | translater.............3 | trépaner...............3 |
| tracer..................8 | translittérer..........10 | trépasser [ê/a].......3 |
| tracter.................3 | transmettre..........65 | trépider................3 |
| traduire...............61 | transmigrer...........3 | trépigner..............3 |
| traficoter..............3 | transmuer............3 | tressaillir.............28 |

| | | |
|---|---|---|
| vandaliser...............3 | verglacer.................8 | vinifier.....................3 |
| vanner ....................3 | vérifier ....................3 | violacer (se) ............8 |
| vanter .....................3 | verjuter ...................3 | violenter ..................3 |
| vaporiser .................3 | vermiculer ...............3 | violer ......................3 |
| vaquer ....................3 | vermiller .................3 | violoner ...................3 |
| varapper ..................3 | vermillonner............3 | virailler ..............[C] 3 |
| varier ......................3 | vermouler (se)..........3 | virer.......................3 |
| varloper ..................3 | vernir.....................15 | virevolter .................3 |
| vaseliner..................3 | vernisser..................3 | virguler ...................3 |
| vasouiller.................3 | verrouiller ...............3 | viriliser ...................3 |
| vassaliser ................3 | verser .....................3 | viroler......................3 |
| vaticiner..................3 | versifier ...................3 | viser ......................3 |
| vautrer (se).............3 | vesser .....................3 | visionner ..................3 |
| végéter...................10 | vétiller ....................3 | visiter .....................3 |
| véhiculer..................3 | vêtir .....................20 | visser .....................3 |
| veiller .....................3 | vexer ......................3 | visualiser..................3 |
| veiner .....................3 | viabiliser .................3 | vitrer .......................3 |
| vélariser...................3 | viander ...................3 | vitrifier ....................3 |
| vêler .......................3 | vibrer ......................3 | vitrioler ...................3 |
| velouter ...................3 | vibrionner................3 | vitupérer ................10 |
| vendanger ...............9 | vicier ......................3 | vivifier ....................3 |
| vendre ...................47 | vidanger ..................9 | vivoter ....................3 |
| vénérer ...................10 | vider ......................3 | vivre .....................68 |
| venger .....................9 | vidimer ...................3 | vocaliser..................3 |
| venir [ê]..................18 | vieillir [ê/a]............15 | vociférer ................10 |
| venter................d ✓3 | viel(le)zir.........[C] 15 | voguer ....................3 |
| ventiler ....................3 | vigneter ...................6 | voiler ......................3 |
| verbaliser.................3 | vilipender .................3 | voir.........................33 |
| verdir......................15 | villégiaturer .............3 | voisiner ...................3 |
| verdoyer .................13 | vinaigrer ..................3 | voiturer ....................3 |
| verduniser...............3 | viner .......................3 | volatiliser.................3 |

# Les tableaux de conjugaison

Cette seconde partie décrit la conjugaison de soixante-dix-sept verbes types. Chacun d'entre eux fait l'objet d'une double page où l'on trouvera le tableau de conjugaison et un encadré apportant tous les renseignements indispensables sur ce verbe et sur les verbes relevant de son modèle de conjugaison.

## LES TABLEAUX

Les tableaux présentent la conjugaison des verbes par modes, par temps et par personnes.

Les modes indiquent la manière dont s'exprime l'action ou l'état du verbe conjugué ; ils peuvent être personnels (indicatif, subjonctif, impératif, conditionnel) ou impersonnels (infinitif, participe).

Dans chaque mode, le temps indique le moment où se situe l'action ou l'état exprimé par le verbe. On distingue :
— les temps simples (présent, imparfait, passé simple, futur pour l'indicatif ; présent pour l'impératif, le conditionnel, l'infinitif et le participe) ;
— les temps composés, conjugués avec un auxiliaire suivi du participe passé du verbe (passé composé, plus-que-parfait, passé antérieur, futur antérieur pour l'indicatif ; passé, plus-que-parfait pour le subjonctif ; passé pour l'impératif, l'infinitif et le participe ; passé 1re et 2e forme pour le conditionnel).
Il existe aussi des temps surcomposés — très peu usités et donc absents de nos tableaux —, où l'auxiliaire est lui-même conjugué à un temps composé (lorsqu'il a eu achevé son discours, je suis parti).

Les personnes indiquent quel est le sujet du verbe :
— celui qui parle (« je » au singulier, « nous » au pluriel) ;
— celui à qui l'on parle (« tu » au singulier, « vous » au pluriel) ;
— celui de qui l'on parle (« il, elle » au singulier, « ils, elles » au pluriel) ; pour des raisons d'encombrement, seuls les pronoms masculins « il » et « ils » figurent dans les tableaux.

➡ Le participe passé peut être variable (il est donné au masculin et au féminin singulier) ou invariable (il est donné au masculin singulier) : « lavé, lavée » ; « ri ».

➡ Le participe présent est toujours invariable ; ne pas le confondre donc avec l'adjectif verbal qui peut en être issu (une histoire amusant le public, une histoire amusante).

## LES ENCADRÉS

On y trouvera d'abord indiqués les verbes ou les familles de verbes relevant du modèle de conjugaison proposé dans le tableau.

D'autres renseignements sont introduits par les signes suivants :

✔VERBE. les particularités de conjugaison que présente ce verbe par rapport au verbe type ; ce signe figure également, dans la partie « Liste des verbes », à la suite du verbe ;

* : une remarque attirant l'attention sur un point délicat de la conjugaison (signalé par le même astérisque dans le tableau) ;

⇨ : une information utile sur ce modèle de conjugaison ; elle apporte le plus souvent une précision supplémentaire sur les verbes relevant de ce tableau ; elle peut aussi renvoyer un verbe ou une famille de verbes à un autre tableau de conjugaison.

## N° 1

## ÊTRE

### INFINITIF

**PRÉSENT**
être

**PASSÉ**
avoir été

### INDICATIF

| PRÉSENT | PASSÉ COMPOSÉ |
|---|---|
| je suis | j'ai été ** |
| tu es | tu as été |
| il est | il a été |
| nous sommes | nous avons été |
| vous êtes | vous avez été |
| ils sont | ils ont été |

| IMPARFAIT | PLUS-QUE-PARFAIT |
|---|---|
| j'étais | j'avais été |
| tu étais | tu avais été |
| il était | il avait été |
| nous étions | nous avions été |
| vous étiez | vous aviez été |
| ils étaient | ils avaient été |

| PASSÉ SIMPLE | PASSÉ ANTÉRIEUR |
|---|---|
| je fus | j'eus été |
| tu fus | tu eus été |
| il fut | il eut été |
| nous fûmes | nous eûmes été |
| vous fûtes | vous eûtes été |
| ils furent | ils eurent été |

| FUTUR | FUTUR ANTÉRIEUR |
|---|---|
| je serai | j'aurai été |
| tu seras | tu auras été |
| il sera | il aura été |
| nous serons | nous aurons été |
| vous serez | vous aurez été |
| ils seront | ils auront été |

### SUBJONCTIF

**PRÉSENT**
que je sois
que tu sois
qu'il soit
que nous soyons ***
que vous soyez ***
qu'ils soient

**IMPARFAIT**
que je fusse
que tu fusses
qu'il fût
que nous fussions
que vous fussiez
qu'ils fussent

**PASSÉ**
que j'aie été
que tu aies été
qu'il ait été
que nous ayons été
que vous ayez été
qu'ils aient été

**PLUS-QUE-PARFAIT**
que j'eusse été
que tu eusses été
qu'il eût été
que nous eussions été
que vous eussiez été
qu'ils eussent été

## PARTICIPE

PRÉSENT
étant

PASSÉ
été *
ayant été

## IMPÉRATIF

PRÉSENT
sois
soyons, soyez

PASSÉ
aie été
ayons été, ayez été

## CONDITIONNEL

PRÉSENT
je serais
tu serais
il serait
nous serions
vous seriez
ils seraient

PASSÉ 1ʳᵉ FORME
j'aurais été
tu aurais été
il aurait été
nous aurions été
vous auriez été
ils auraient été

PASSÉ 2ᵉ FORME
j'eusse été
tu eusses été
il eût été
nous eussions été
vous eussiez été
ils eussent été

---

\* Le participe passé « été » est invariable.

\** Aux temps composés, ÊTRE se conjugue avec l'auxiliaire « avoir ».

\*** Attention à ne pas ajouter de « i » derrière le « y » (faute fréquente, faite sous l'influence des verbes en « -yer »).

⇨ ÊTRE est, avec AVOIR, l'un des deux verbes auxiliaires servant à conjuguer les autres verbes aux temps composés. On l'utilise :
- à la forme active d'un certain nombre de verbes intransitifs (elle est venue),
- à la forme passive de tous les verbes transitifs directs (le gâteau sera mangé),
- à la forme pronominale (ils se sont battus).

Le participe passé d'un verbe conjugué avec l'auxiliaire ÊTRE s'accorde toujours avec le sujet, en genre et en nombre.

⇨ ÊTRE n'est pas uniquement un verbe auxiliaire ; il est aussi un verbe appelé « copule », car il sert de lien entre le sujet et son attribut (ce chat est gourmand).

| N°2 AVOIR | INFINITIF |
|---|---|
| | **PRÉSENT** avoir |
| | **PASSÉ** avoir eu |

| INDICATIF | | SUBJONCTIF |
|---|---|---|
| **PRÉSENT** j'ai tu as il a nous avons vous avez ils ont | **PASSÉ COMPOSÉ** j'ai eu tu as eu il a eu nous avons eu vous avez eu ils ont eu | **PRÉSENT** que j'aie que tu aies qu'il ait que nous ayons * que vous ayez * qu'ils aient |
| **IMPARFAIT** j'avais tu avais il avait nous avions vous aviez ils avaient | **PLUS-QUE-PARFAIT** j'avais eu tu avais eu il avait eu nous avions eu vous aviez eu ils avaient eu | **IMPARFAIT** que j'eusse que tu eusses qu'il eût que nous eussions que vous eussiez qu'ils eussent |
| **PASSÉ SIMPLE** j'eus tu eus il eut nous eûmes vous eûtes ils eurent | **PASSÉ ANTÉRIEUR** j'eus eu tu eus eu il eut eu nous eûmes eu vous eûtes eu ils eurent eu | **PASSÉ** que j'aie eu que tu aies eu qu'il ait eu que nous ayons eu que vous ayez eu qu'ils aient eu |
| **FUTUR** j'aurai tu auras il aura nous aurons vous aurez ils auront | **FUTUR ANTÉRIEUR** j'aurai eu tu auras eu il aura eu nous aurons eu vous aurez eu ils auront eu | **PLUS-QUE-PARFAIT** que j'eusse eu que tu eusses eu qu'il eût eu que nous eussions eu que vous eussiez eu qu'ils eussent eu |

## PARTICIPE

PRÉSENT
ayant
PASSÉ
eu, eue
ayant eu

## IMPÉRATIF

PRÉSENT
aie
ayons, ayez
PASSÉ
aie eu
ayons eu, ayez eu

## CONDITIONNEL

PRÉSENT
j'aurais
tu aurais
il aurait
nous aurions
vous auriez
ils auraient

PASSÉ 1er FORME
j'aurais eu
tu aurais eu
il aurait eu
nous aurions eu
vous auriez eu
ils auraient eu

PASSÉ 2e FORME
j'eusse eu
tu eusses eu
il eût eu
nous eussions eu
vous eussiez eu
ils eussent eu

\* Attention à ne pas ajouter de
« i » derrière le « y » (faute fréquente,
faite sous l'influence des verbes en
« -yer »).

⇨ Comme verbe auxiliaire, AVOIR
sert à conjuguer, aux temps composés
de la voix active :
- les verbes AVOIR el ÊTRE
(j'ai eu une bonne note, j'ai été sage),
- tous les verbes transitifs
(il a pris mon livre),
- la plupart des verbes intransitifs
(j'ai couru pour attraper le bus),
- les verbes impersonnels proprement
dits (il a neigé sans arrêt).

⇨ AVOIR n'est pas uniquement un
verbe auxiliaire ; c'est un verbe transitif
lorsqu'il appelle un complément
d'objet :
j'ai une belle voiture ;
nous avons à travailler ce soir ;
la belle frayeur qu'il a eue.

✓ RAVOIR ne s'emploie qu'à
l'infinitif.

## N° 3

# LAVER

### verbe du 1er groupe

**INFINITIF**

**PRÉSENT**
laver

**PASSÉ**
avoir lavé

| INDICATIF | | SUBJONCTIF |
|---|---|---|
| **PRÉSENT** | **PASSÉ COMPOSÉ** | **PRÉSENT** |
| je lave | j'ai lavé | que je lave |
| tu laves | tu as lavé | que tu laves |
| il lave | il a lavé | qu'il lave |
| nous lavons | nous avons lavé | que nous lavions |
| vous lavez | vous avez lavé | que vous laviez |
| ils lavent | ils ont lavé | qu'ils lavent |
| **IMPARFAIT** | **PLUS-QUE-PARFAIT** | **IMPARFAIT** |
| je lavais | j'avais lavé | que je lavasse |
| tu lavais | tu avais lavé | que tu lavasses |
| il lavait | il avait lavé | qu'il lavât |
| nous lavions | nous avions lavé | que nous lavassions |
| vous laviez | vous aviez lavé | que vous lavassiez |
| ils lavaient | ils avaient lavé | qu'ils lavassent |
| **PASSÉ SIMPLE** | **PASSÉ ANTÉRIEUR** | **PASSÉ** |
| je lavai | j'eus lavé | que j'aie lavé |
| tu lavas | tu eus lavé | que tu aies lavé |
| il lava | il eut lavé | qu'il ait lavé |
| nous lavâmes | nous eûmes lavé | que nous ayons lavé |
| vous lavâtes | vous eûtes lavé | que vous ayez lavé |
| ils lavèrent | ils eurent lavé | qu'ils aient lavé |
| **FUTUR** | **FUTUR ANTÉRIEUR** | **PLUS-QUE-PARFAIT** |
| je laverai | j'aurai lavé | que j'eusse lavé |
| tu laveras | tu auras lavé | que tu eusses lavé |
| il lavera | il aura lavé | qu'il eût lavé |
| nous laverons | nous aurons lavé | que nous eussions lavé |
| vous laverez | vous aurez lavé | que vous eussiez lavé |
| ils laveront | ils auront lavé | qu'ils eussent lavé |

**PARTICIPE**

PRÉSENT
lavant

PASSÉ
lavé, lavée
ayant lavé

**IMPÉRATIF**

PRÉSENT
lave
lavons, lavez

PASSÉ
aie lavé
ayons, ayez lavé

**CONDITIONNEL**

PRÉSENT
je laverais
tu laverais
il laverait
nous laverions
vous laveriez
ils laveraient

PASSÉ 1ʳᵉ FORME
j'aurais lavé
tu aurais lavé
il aurait lavé
nous aurions lavé
vous auriez lavé
ils auraient lavé

PASSÉ 2ᵉ FORME
j'eusse lavé
tu eusses lavé
il eût lavé
nous eussions lavé
vous eussiez lavé
ils eussent lavé

Tous les verbes en –ER appartiennent au 1ᵉʳ groupe, sauf ALLER (n° 17), et se conjuguent comme LAVER. Certains présentent toutefois des particularités (voir les tableaux nᵒˢ 4 à 14).

⇨ Les verbes en –ÉER suivent la même conjugaison, mais attention aux deux « e » qui se suivent souvent (il crée, tu créeras…) et aux trois « e » du participe passé féminin (créée, agréée…).

⇨ Les verbes en –IER suivent la même conjugaison, mais attention aux deux « i » qui se suivent (le « i » du radical et le « i » de la terminaison) à la 1ʳᵉ et à la 2ᵉ personne du pluriel de l'indicatif imparfait et du subjonctif présent : nous dépliions, vous dépliiez ; il faut que nous négociions, que vous négociiez…

✓ ESTER ne s'emploie qu'à l'infinitif.

✓ RÉSULTER ne se conjugue qu'à la 3ᵉ personne (singulier et pluriel), aux participes et à l'infinitif.

✓ BOURRASSER, BROUILLASSER, BRUINER, BRUMASSER, BRUMER, CRACHINER, FRIMASSER, GRÊLER, MOUILLASSER, NEIGEASSER, NEIGEOTER, PLEUVASSER, PL(E)UVINER, PLEUVIOTER, VENTER sont impersonnels : ils ne se conjuguent qu'à la 3ᵉ personne du singulier.

# voix passive

# ÊTRE LAVÉ

## INFINITIF

**PRÉSENT**
être lavé(e)

**PASSÉ**
avoir été lavé(e)

## INDICATIF

**PRÉSENT**
je suis lavé
tu es lavé
il est lavé
nous sommes lavés
vous êtes lavés
ils sont lavés

**PASSÉ COMPOSÉ**
j'ai été lavé
tu as été lavé
il a été lavé
nous avons été lavés
vous avez été lavés
ils ont été lavés

**IMPARFAIT**
j'étais lavé
tu étais lavé
il était lavé
nous étions lavés
vous étiez lavés
ils étaient lavés

**PLUS-QUE-PARFAIT**
j'avais été lavé
tu avais été lavé
il avait été lavé
nous avions été lavés
vous aviez été lavés
ils avaient été lavés

**PASSÉ SIMPLE**
je fus lavé
tu fus lavé
il fut lavé
nous fûmes lavés
vous fûtes lavés
ils furent lavés

**PASSÉ ANTÉRIEUR**
j'eus été lavé
tu eus été lavé
il eut été lavé
nous eûmes été lavés
vous eûtes été lavés
ils eurent été lavés

**FUTUR**
je serai lavé
tu seras lavé
il sera lavé
nous serons lavés
vous serez lavés
ils seront lavés

**FUTUR ANTÉRIEUR**
j'aurai été lavé
tu auras été lavé
il aura été lavé
nous aurons été lavés
vous aurez été lavés
ils auront été lavés

## SUBJONCTIF

**PRÉSENT**
que je sois lavé
que tu sois lavé
qu'il soit lavé
que nous soyons lavés
que vous soyez lavés
qu'ils soient lavés

**IMPARFAIT**
que je fusse lavé
que tu fusses lavé
qu'il fût lavé
que nous fussions lavés
que vous fussiez lavés
qu'ils fussent lavés

**PASSÉ**
que j'aie été lavé
que tu aies été lavé
qu'il ait été lavé
que nous ayons été lavés
que vous ayez été lavés
qu'ils aient été lavés

**PLUS-QUE-PARFAIT**
que j'eusse été lavé
que tu eusses été lavé
qu'il eût été lavé
que nous eussions été lavés
que vous eussiez été lavés
qu'ils eussent été lavés

## PARTICIPE

**présent**
étant lavé(e)

**passé**
ayant été lavé(e)

## IMPÉRATIF

**présent**
sois lavé
soyons, soyez lavés

**passé \***
aie été lavé
ayons, ayez été lavés

## CONDITIONNEL

**présent**
je serais lavé
tu serais lavé
il serait lavé
nous serions lavés
vous seriez lavés
ils seraient lavés

**passé 1re forme**
j'aurais été lavé
tu aurais été lavé
il aurait été lavé
nous aurions été lavés
vous auriez été lavés
ils auraient été lavés

**passé 2e forme**
j'eusse été lavé
tu eusses été lavé
il eût été lavé
nous eussions été lavés
vous eussiez été lavés
ils eussent été lavés

⇨ Seuls les verbes transitifs directs peuvent se conjuguer à la voix passive.

⇨ L'auxiliaire utilisé pour conjuguer les temps composés est toujours « être ».
Le participe passé s'accorde donc toujours avec le sujet (elles seront lavées).

⇨ Ne pas confondre un verbe conjugué à la voix passive et un verbe conjugué à la voix active avec « être » (par exemple : ils sont lavés et ils sont partis…).

\* L'impératif passé est rarement usité.

# CONJUGAISON PRONOMINALE
## SE FIER

**INFINITIF**

PRÉSENT
se fier

PASSÉ
s'être fié(e)

---

## INDICATIF

| PRÉSENT | PASSÉ COMPOSÉ |
|---|---|
| je me fie * | je me suis fié |
| tu te fies | tu t'es fié |
| il se fie | il s'est fié |
| nous nous fions | nous nous sommes fiés |
| vous vous fiez | vous vous êtes fiés |
| ils se fient | ils se sont fiés |

| IMPARFAIT | PLUS-QUE-PARFAIT |
|---|---|
| je me fiais | je m'étais fié |
| tu te fiais | tu t'étais fié |
| il se fiait | il s'était fié |
| nous nous fiions | nous nous étions fiés |
| vous vous fiiez | vous vous étiez fiés |
| ils se fiaient | ils s'étaient fiés |

| PASSÉ SIMPLE | PASSÉ ANTÉRIEUR |
|---|---|
| je me fiai | je me fus fié |
| tu te fias | tu te fus fié |
| il se fia | il se fut fié |
| nous nous fiâmes | nous nous fûmes fiés |
| vous vous fiâtes | vous vous fûtes fiés |
| ils se fièrent | ils se furent fiés |

| FUTUR | FUTUR ANTÉRIEUR |
|---|---|
| je me fierai | je me serai fié |
| tu te fieras | tu te seras fié |
| il se fiera | il se sera fié |
| nous nous fierons | nous nous serons fiés |
| vous vous fierez | vous vous serez fiés |
| ils se fieront | ils se seront fiés |

## SUBJONCTIF

PRÉSENT
que je me fie
que tu te fies
qu'il se fie
que nous nous fiions
que vous vous fiiez
qu'ils se fient

IMPARFAIT
que je me fiasse
que tu te fiasses
qu'il se fiât
que nous nous fiassions
que vous vous fiassiez
qu'ils se fiassent

PASSÉ
que je me sois fié
que tu te sois fié
qu'il se soit fié
que nous nous soyons fiés
que vous vous soyez fiés
qu'ils se soient fiés

PLUS-QUE-PARFAIT
que je me fusse fié
que tu te fusses fié
qu'il se fût fié
que nous nous fussions fiés
que vous vous fussiez fiés
qu'ils se fussent fiés

## PARTICIPE

**PRÉSENT**
se fiant

**PASSÉ**
s'étant fié(e)

## IMPÉRATIF

**PRÉSENT** **
fie-toi
fions-nous
fiez-vous

pas d'impératif
passé

## CONDITIONNEL

**PRÉSENT**
je me fierais
tu te fierais
il se fierait
nous nous fierions
vous vous fieriez
ils se fieraient

**PASSÉ 1ʳᵉ FORME**
je me serais fié
tu te serais fié
il se serait fié
nous nous serions fiés
vous vous seriez fiés
ils se seraient fiés

**PASSÉ 2ᵉ FORME**
je me fusse fié
tu te fusses fié
il se fût fié
nous nous fussions fiés
vous vous fussiez fiés
ils se fussent fiés

⇨ Comme tous les verbes suivis dans la liste par (se) ou (s'), s e f i e r est un verbe dit « essentiellement pronominal », c'est-à-dire qu'il ne se conjugue qu'à la forme pronominale.

Aux formes composées, le verbe pronominal s'emploie toujours avec l'auxiliaire « être »; son participe passé s'accorde avec le sujet (elle s'est repentie), sauf pour s'arroger et s'entre-nuire.

⇨ Les verbes transitifs peuvent se conjuguer à la forme pronominale:
- soit réfléchie (je me regarde, ils se sont lavés…),
- soit réciproque, mais uniquement au pluriel (ils s'aideront, nous nous sommes battus…),
- soit passive (ce livre se vend bien).

Aux formes composées, on utilise aussi l'auxiliaire « être ».
Le participe passé s'accorde alors selon la règle commune de l'accord du participe passé (il n'y a accord que si le complément d'objet <u>direct</u> est placé <u>devant</u> le verbe): elle s'est lavée; elle s'est lavé les mains; ils se sont salués; ils se sont parlé…

\* Noter le doublement du pronom personnel.

\** Noter l'inversion du verbe et du pronom, reliés par un trait d'union.

| FORME INTERROGATIVE (LAVER) | INFINITIF |
|---|---|
| | PAS d'infinitif |

| INDICATIF | | SUBJONCTIF |
|---|---|---|
| **PRÉSENT** | **PASSÉ COMPOSÉ** | |
| lavé-je? * | ai-je lavé? | |
| laves-tu? | as-tu lavé? | |
| lave-t-il? ** | a-t-il lavé? | |
| lavons-nous? | avons-nous lavé? | |
| lavez-vous? | avez-vous lavé? | |
| lavent-ils? | ont-ils lavé? | |
| | | |
| **IMPARFAIT** | **PLUS-QUE-PARFAIT** | |
| lavais-je? | avais-je lavé? | |
| lavais-tu? | avais-tu lavé? | |
| lavait-il? | avait-il lavé? | PAS DE |
| lavions-nous? | avions-nous lavé? | |
| laviez-vous? | aviez-vous lavé? | FORME |
| lavaient-ils? | avaient-ils lavé? | |
| | | INTERROGATIVE |
| **PASSÉ SIMPLE** | **PASSÉ ANTÉRIEUR** | |
| lavai-je? | eus-je lavé? | AU |
| lavas-tu? | eus-tu lavé? | |
| lava-t-il? | eut-il lavé? | SUBJONCTIF |
| lavâmes-nous? | eûmes-nous lavé? | |
| lavâtes-vous? | eûtes-vous lavé? | |
| lavèrent-ils? | eurent-ils lavé? | |
| | | |
| **FUTUR** | **FUTUR ANTÉRIEUR** | |
| laverai-je? | aurai-je lavé? | |
| laveras-tu? | auras-tu lavé? | |
| lavera-t-il? | aura-t-il lavé? | |
| laverons-nous? | aurons-nous lavé? | |
| laverez-vous? | aurez-vous lavé? | |
| laveront-ils? | auront-ils lavé? | |

## PARTICIPE

pas de

participe

## IMPÉRATIF

pas

d'impératif

## CONDITIONNEL

PRÉSENT
laverais-je?
laverais-tu?
laverait-il?
laverions-nous?
laveriez-vous?
laveraient-ils?

PASSÉ 1ʳᵉ FORME
aurais-je lavé?
aurais-tu lavé?
aurait-il lavé?
aurions-nous lavé?
auriez-vous lavé?
auraient-ils lavé?

PASSÉ 2ᵉ FORME
eussé-je lavé?
eusses-tu lavé?
eût-il lavé?
eussions-nous lavé?
eussiez-vous lavé?
eussent-ils lavé?

⇨ Noter l'inversion du pronom et du verbe, les deux termes étant toujours reliés par un trait d'union (laves-tu?).

Dans les temps composés, l'inversion se fait entre le pronom et l'auxiliaire (as-tu lavé?).

\* À la 1ʳᵉ personne du singulier, quand la terminaison du verbe (ou de l'auxiliaire) est en « -e », l'inversion ne peut se faire qu'en remplaçant ce « e » par un « é » (à prononcer « è ») :
aimé-je? lavé-je? eussé-je? fussé-je? dussé-je? parlé-je? etc.

Dans les autres cas, l'inversion du pronom « je » n'est possible qu'après les terminaisons en « -ai », « -ais » et après « ai », « dis », « dois », « fais », « puis », « sais », « suis », « veux », « vois » :
lavai-je? lavais-je? ai-je? que dis-je? qu'en sais-je?…
On ne dira donc pas « cours-je? » mais « est-ce que je cours? », ni « prends-je? » mais « est-ce que je prends? »…

\*\* À la 3ᵉ personne du singulier, quand la terminaison n'est pas « -d » ou « -t », on intercale un « -t- » (appelé « euphonique ») entre le verbe et le pronom : lave-t-il? lavera-t-elle? qu'a-t-il? convainc-t-il?

# N° 4

## ÉPELER

VERBE du 1er GROUPE

### INFINITIF

PRÉSENT
épeler

PASSÉ
avoir épelé

## INDICATIF

### PRÉSENT
j'épelle
tu épelles
il épelle
nous épelons
vous épelez
ils épellent

### IMPARFAIT
j'épelais
tu épelais
il épelait
nous épelions
vous épeliez
ils épelaient

### PASSÉ SIMPLE
j'épelai
tu épelas
il épela
nous épelâmes
vous épelâtes
ils épelèrent

### FUTUR*
j'épellerai
tu épelleras
il épellera
nous épellerons
vous épellerez
ils épelleront

### PASSÉ COMPOSÉ
j'ai épelé
tu as épelé
il a épelé
nous avons épelé
vous avez épelé
ils ont épelé

### PLUS-QUE-PARFAIT
j'avais épelé
tu avais épelé
il avait épelé
nous avions épelé
vous aviez épelé
ils avaient épelé

### PASSÉ ANTÉRIEUR
j'eus épelé
tu eus épelé
il eut épelé
nous eûmes épelé
vous eûtes épelé
ils eurent épelé

### FUTUR ANTÉRIEUR
j'aurai épelé
tu auras épelé
il aura épelé
nous aurons épelé
vous aurez épelé
ils auront épelé

## SUBJONCTIF

### PRÉSENT
que j'épelle
que tu épelles
qu'il épelle
que nous épelions
que vous épeliez
qu'ils épellent

### IMPARFAIT
que j'épelasse
que tu épelasses
qu'il épelât
que nous épelassions
que vous épelassiez
qu'ils épelassent

### PASSÉ
que j'aie épelé
que tu aies épelé
qu'il ait épelé
que nous ayons épelé
que vous ayez épelé
qu'ils aient épelé

### PLUS-QUE-PARFAIT
que j'eusse épelé
que tu eusses épelé
qu'il eût épelé
que nous eussions épelé
que vous eussiez épelé
qu'ils eussent épelé

## PARTICIPE

PRÉSENT
épelant

PASSÉ
épelé, épelée
ayant épelé

## IMPÉRATIF

PRÉSENT
épelle
épelons, épelez

PASSÉ
aie épelé
ayons, ayez épelé

## CONDITIONNEL

PRÉSENT*
j'épellerais
tu épellerais
il épellerait
nous épellerions
vous épelleriez
ils épelleraient

PASSÉ 1ʳᵉ FORME
j'aurais épelé
tu aurais épelé
il aurait épelé
nous aurions épelé
vous auriez épelé
ils auraient épelé

PASSÉ 2ᵉ FORME
j'eusse épelé
tu eusses épelé
il eût épelé
nous eussions épelé
vous eussiez épelé
ils eussent épelé

Le plus grand nombre des verbes en -ELER se conjuguent ainsi, en doublant la consonne « l » devant un « e » muet (il appelle, que tu épelles…).

* Ne pas oublier ce doublement au futur et au conditionnel présent (j'épellerai, nous rappellerions…).

⇨ Pour les autres verbes en -ELER, voir le tableau n° 5.

| N° 5 GELER verbe du 1er groupe | INFINITIF |
|---|---|
| | PRÉSENT geler |
| | PASSÉ avoir gelé |

| INDICATIF | | SUBJONCTIF |
|---|---|---|
| **PRÉSENT** je gèle tu gèles il gèle nous gelons vous gelez ils gèlent | **PASSÉ COMPOSÉ** j'ai gelé tu as gelé il a gelé nous avons gelé vous avez gelé ils ont gelé | **PRÉSENT** que je gèle que tu gèles qu'il gèle que nous gelions que vous geliez qu'ils gèlent |
| **IMPARFAIT** je gelais tu gelais il gelait nous gelions vous geliez ils gelaient | **PLUS-QUE-PARFAIT** j'avais gelé tu avais gelé il avait gelé nous avions gelé vous aviez gelé ils avaient gelé | **IMPARFAIT** que je gelasse que tu gelasses qu'il gelât que nous gelassions que vous gelassiez qu'ils gelassent |
| **PASSÉ SIMPLE** je gelai tu gelas il gela nous gelâmes vous gelâtes ils gelèrent | **PASSÉ ANTÉRIEUR** j'eus gelé tu eus gelé il eut gelé nous eûmes gelé vous eûtes gelé ils eurent gelé | **PASSÉ** que j'aie gelé que tu aies gelé qu'il ait gelé que nous ayons gelé que vous ayez gelé qu'ils aient gelé |
| **FUTUR** je gèlerai tu gèleras il gèlera nous gèlerons vous gèlerez ils gèleront | **FUTUR ANTÉRIEUR** j'aurai gelé tu auras gelé il aura gelé nous aurons gelé vous aurez gelé ils auront gelé | **PLUS-QUE-PARFAIT** que j'eusse gelé que tu eusses gelé qu'il eût gelé que nous eussions gelé que vous eussiez gelé qu'ils eussent gelé |

## PARTICIPE

**PRÉSENT**
gelant

**PASSÉ**
gelé, gelée
ayant gelé

## IMPÉRATIF

**PRÉSENT**
gèle
gelons, gelez

**PASSÉ**
aie gelé
ayons gelé, ayez gelé

## CONDITIONNEL

**PRÉSENT**
je gèlerais
tu gèlerais
il gèlerait
nous gèlerions
vous gèleriez
ils gèleraient

**PASSÉ 1re FORME**
j'aurais gelé
tu aurais gelé
il aurait gelé
nous aurions gelé
vous auriez gelé
ils auraient gelé

**PASSÉ 2e FORME**
j'eusse gelé
tu eusses gelé
il eût gelé
nous eussions gelé
vous eussiez gelé
ils eussent gelé

Ainsi se conjuguent, sans doublement du « l » devant une syllabe muette, mais en transformant le « e » qui le précède en « è » (il gèle, que je gèle, tu gèleras…) : CELER, CISELER, CONGELER, DÉCELER, DÉCONGELER, DÉGELER, DÉMANTELER, ÉCARTELER, HARCELER, MARTELER, MODELER, PELER, RECELER, RECONGELER, REGELER, REMODELER, SURGELER.

➪ Pour la conjugaison des autres verbes en -ELER, voir le tableau n° 4.

| N° 6 JETER VERBE du 1ᴇʀ GROUPE | INFINITIF |
|---|---|
| | PRÉSENT jeter |
| | PASSÉ avoir jeté |

| INDICATIF | | SUBJONCTIF |
|---|---|---|
| **PRÉSENT** je jette tu jettes il jette nous jetons vous jetez ils jettent | **PASSÉ COMPOSÉ** j'ai jeté tu as jeté il a jeté nous avons jeté vous avez jeté ils ont jeté | **PRÉSENT** que je jette que tu jettes qu'il jette que nous jetions que vous jetiez qu'ils jettent |
| **IMPARFAIT** je jetais tu jetais il jetait nous jetions vous jetiez ils jetaient | **PLUS-QUE-PARFAIT** j'avais jeté tu avais jeté il avait jeté nous avions jeté vous aviez jeté ils avaient jeté | **IMPARFAIT** que je jetasse que tu jetasses qu'il jetât que nous jetassions que vous jetassiez qu'ils jetassent |
| **PASSÉ SIMPLE** je jetai tu jetas il jeta nous jetâmes vous jetâtes ils jetèrent | **PASSÉ ANTÉRIEUR** j'eus jeté tu eus jeté il eut jeté nous eûmes jeté vous eûtes jeté ils eurent jeté | **PASSÉ** que j'aie jeté que tu aies jeté qu'il ait jeté que nous ayons jeté que vous ayez jeté qu'ils aient jeté |
| **FUTUR** * je jetterai tu jetteras il jettera nous jetterons vous jetterez ils jetteront | **FUTUR ANTÉRIEUR** j'aurai jeté tu auras jeté il aura jeté nous aurons jeté vous aurez jeté ils auront jeté | **PLUS-QUE-PARFAIT** que j'eusse jeté que tu eusses jeté qu'il eût jeté que nous eussions jeté que vous eussiez jeté qu'ils eussent jeté |

## PARTICIPE

PRÉSENT
jetant

PASSÉ
jeté, jetée
ayant jeté

## IMPÉRATIF

PRÉSENT
jette
jetons, jetez

PASSÉ
aie jeté
ayons jeté, ayez jeté

## CONDITIONNEL

PRÉSENT*
je jetterais
tu jetterais
il jetterait
nous jetterions
vous jetteriez
ils jetteraient

PASSÉ 1ʳᵉ FORME
j'aurais jeté
tu aurais jeté
il aurait jeté
nous aurions jeté
vous auriez jeté
ils auraient jeté

PASSÉ 2ᵉ FORME
j'eusse jeté
tu eusses jeté
il eût jeté
nous eussions jeté
vous eussiez jeté
ils eussent jeté

Le plus grand nombre des verbes en
-ETER se conjuguent ainsi, en doublant
la consonne « t » devant un « e »
muet (il rejette, que tu projettes…).

* Ne pas oublier ce doublement au futur
et au conditionnel présent (je jetterai,
nous feuilletterions…).

⇨ Pour les autres verbes en -ETER,
voir le tableau n° 7.

| N° 7 | INFINITIF |
|---|---|
| **ACHETER** | **présent**<br>acheter |
| verbe du 1er groupe | **passé**<br>avoir acheté |

## INDICATIF

| **présent** | **passé composé** |
|---|---|
| j'achète | j'ai acheté |
| tu achètes | tu as acheté |
| il achète | il a acheté |
| nous achetons | nous avons acheté |
| vous achetez | vous avez acheté |
| ils achètent | ils ont acheté |

| **imparfait** | **plus-que-parfait** |
|---|---|
| j'achetais | j'avais acheté |
| tu achetais | tu avais acheté |
| il achetait | il avait acheté |
| nous achetions | nous avions acheté |
| vous achetiez | vous aviez acheté |
| ils achetaient | ils avaient acheté |

| **passé simple** | **passé antérieur** |
|---|---|
| j'achetai | j'eus acheté |
| tu achetas | tu eus acheté |
| il acheta | il eut acheté |
| nous achetâmes | nous eûmes acheté |
| vous achetâtes | vous eûtes acheté |
| ils achetèrent | ils eurent acheté |

| **futur** | **futur antérieur** |
|---|---|
| j'achèterai | j'aurai acheté |
| tu achèteras | tu auras acheté |
| il achètera | il aura acheté |
| nous achèterons | nous aurons acheté |
| vous achèterez | vous aurez acheté |
| ils achèteront | ils auront acheté |

## SUBJONCTIF

**présent**
que j'achète
que tu achètes
qu'il achète
que nous achetions
que vous achetiez
qu'ils achètent

**imparfait**
que j'achetasse
que tu achetasses
qu'il achetât
que nous achetassions
que vous achetassiez
qu'ils achetassent

**passé**
que j'aie acheté
que tu aies acheté
qu'il ait acheté
que nous ayons acheté
que vous ayez acheté
qu'ils aient acheté

**plus-que-parfait**
que j'eusse acheté
que tu eusses acheté
qu'il eût acheté
que nous eussions acheté
que vous eussiez acheté
qu'ils eussent acheté

## PARTICIPE

PRÉSENT
achetant

PASSÉ
acheté, achetée
ayant acheté

## IMPÉRATIF

PRÉSENT
achète
achetons, achetez

PASSÉ
aie acheté
ayons, ayez acheté

## CONDITIONNEL

PRÉSENT
j'achèterais
tu achèterais
il achèterait
nous achèterions
vous achèteriez
ils achèteraient

PASSÉ 1ʳᵉ FORME
j'aurais acheté
tu aurais acheté
il aurait acheté
nous aurions acheté
vous auriez acheté
ils auraient acheté

PASSÉ 2ᵉ FORME
j'eusse acheté
tu eusses acheté
il eût acheté
nous eussions acheté
vous eussiez acheté
ils eussent acheté

Ainsi se conjuguent, sans doublement du « t » devant une syllabe muette mais en transformant le « e » qui le précède en « è » : BÉGUETER, CORSETER, CROCHETER, FILETER, FURETER, HALETER, RACHETER.

⇨ Pour la conjugaison des autres verbes en -ETER, voir le tableau n° 6.

## N° 8

# RINCER

verbe du 1er groupe

### INFINITIF

présent
rincer

passé
avoir rincé

## INDICATIF

| présent | passé composé |
|---|---|
| je rince | j'ai rincé |
| tu rinces | tu as rincé |
| il rince | il a rincé |
| nous rinçons | nous avons rincé |
| vous rincez | vous avez rincé |
| ils rincent | ils ont rincé |

| imparfait | plus-que-parfait |
|---|---|
| je rinçais | j'avais rincé |
| tu rinçais | tu avais rincé |
| il rinçait | il avait rincé |
| nous rincions | nous avions rincé |
| vous rinciez | vous aviez rincé |
| ils rinçaient | ils avaient rincé |

| passé simple | passé antérieur |
|---|---|
| je rinçai | j'eus rincé |
| tu rinças | tu eus rincé |
| il rinça | il eut rincé |
| nous rinçâmes | nous eûmes rincé |
| vous rinçâtes | vous eûtes rincé |
| ils rincèrent | ils eurent rincé |

| futur | futur antérieur |
|---|---|
| je rincerai | j'aurai rincé |
| tu rinceras | tu auras rincé |
| il rincera | il aura rincé |
| nous rincerons | nous aurons rincé |
| vous rincerez | vous aurez rincé |
| ils rinceront | ils auront rincé |

## SUBJONCTIF

### présent
que je rince
que tu rinces
qu'il rince
que nous rincions
que vous rinciez
qu'ils rincent

### imparfait
que je rinçasse
que tu rinçasses
qu'il rinçât
que nous rinçassions
que vous rinçassiez
qu'ils rinçassent

### passé
que j'aie rincé
que tu aies rincé
qu'il ait rincé
que nous ayons rincé
que vous ayez rincé
qu'ils aient rincé

### plus-que-parfait
que j'eusse rincé
que tu eusses rincé
qu'il eût rincé
que nous eussions rincé
que vous eussiez rincé
qu'ils eussent rincé

## PARTICIPE

PRÉSENT
rinçant
PASSÉ
rincé, rincée
ayant rincé

## IMPÉRATIF

PRÉSENT
rince
rinçons, rincez
PASSÉ
aie rincé
ayons, ayez rincé

## CONDITIONNEL

PRÉSENT
je rincerais
tu rincerais
il rincerait
nous rincerions
vous rinceriez
ils rinceraient

PASSÉ 1ʳᵉ FORME
j'aurais rincé
tu aurais rincé
il aurait rincé
nous aurions rincé
vous auriez rincé
ils auraient rincé

PASSÉ 2ᵉ FORME
j'eusse rincé
tu eusses rincé
il eût rincé
nous eussions rincé
vous eussiez rincé
ils eussent rincé

Se conjuguent ainsi tous les verbes en
-CER: afin de conserver le même son
dans toute la conjugaison, ils prennent
une cédille sous le « c » précédant
un « a » ou un « o » (nous rinçons,
je plaçai, qu'il déplaçât…).

⇨ Verbes en -ECER
(comme « dépecer ») : voir aussi le
tableau n° 11.

⇨ Verbes en -ÉCER
(comme « rapiécer ») : voir aussi le
tableau n° 10.

# N° 9

# VENGER

verbe du 1er groupe

## INFINITIF

**présent**
venger

**passé**
avoir vengé

## INDICATIF

| **présent** | **passé composé** |
|---|---|
| je venge | j'ai vengé |
| tu venges | tu as vengé |
| il venge | il a vengé |
| nous vengeons | nous avons vengé |
| vous vengez | vous avez vengé |
| ils vengent | ils ont vengé |

| **imparfait** | **plus-que-parfait** |
|---|---|
| je vengeais | j'avais vengé |
| tu vengeais | tu avais vengé |
| il vengeait | il avait vengé |
| nous vengions | nous avions vengé |
| vous vengiez | vous aviez vengé |
| ils vengeaient | ils avaient vengé |

| **passé simple** | **passé antérieur** |
|---|---|
| je vengeai | j'eus vengé |
| tu vengeas | tu eus vengé |
| il vengea | il eut vengé |
| nous vengeâmes | nous eûmes vengé |
| vous vengeâtes | vous eûtes vengé |
| ils vengèrent | ils eurent vengé |

| **futur** | **futur antérieur** |
|---|---|
| je vengerai | j'aurai vengé |
| tu vengeras | tu auras vengé |
| il vengera | il aura vengé |
| nous vengerons | nous aurons vengé |
| vous vengerez | vous aurez vengé |
| ils vengeront | ils auront vengé |

## SUBJONCTIF

**présent**
que je venge
que tu venges
qu'il venge
que nous vengions
que vous vengiez
qu'ils vengent

**imparfait**
que je vengeasse
que tu vengeasses
qu'il vengeât
que nous vengeassions
que vous vengeassiez
qu'ils vengeassent

**passé**
que j'aie vengé
que tu aies vengé
qu'il ait vengé
que nous ayons vengé
que vous ayez vengé
qu'ils aient vengé

**plus-que-parfait**
que j'eusse vengé
que tu eusses vengé
qu'il eût vengé
que nous eussions vengé
que vous eussiez vengé
qu'ils eussent vengé

## PARTICIPE

PRÉSENT
vengeant

PASSÉ
vengé, vengée
ayant vengé

## IMPÉRATIF

PRÉSENT
venge
vengeons, vengez

PASSÉ
aie vengé
ayons, ayez vengé

## CONDITIONNEL

PRÉSENT
je vengerais
tu vengerais
il vengerait
nous vengerions
vous vengeriez
ils vengeraient

PASSÉ 1ʳᵉ FORME
j'aurais vengé
tu aurais vengé
il aurait vengé
nous aurions vengé
vous auriez vengé
ils auraient vengé

PASSÉ 2ᵉ FORME
j'eusse vengé
tu eusses vengé
il eût vengé
nous eussions vengé
vous eussiez vengé
ils eussent vengé

Se conjuguent ainsi tous les verbes en
-GER : afin de conserver le même son
dans toute la conjugaison, ils gardent le
« e » de l'infinitif devant un « a » ou
un « o » (nous vengeons, je mangeai,
qu'il rangeât…).

⇨ Verbes en -ÉGER
(comme « piéger ») : voir aussi le
tableau n° 10.

✓ NEIGER est un verbe impersonnel
et ne se conjugue qu'à la 3ᵉ personne
du singulier.

✓ URGER ne s'emploie qu'à l'infinitif
et à la 3ᵉ personne du singulier.

## N° 10

## SÉCHER

VERBE du 1ER GROUPE

**INFINITIF**

PRÉSENT
sécher

PASSÉ
avoir séché

| INDICATIF | | SUBJONCTIF |
|---|---|---|
| **PRÉSENT** | **PASSÉ COMPOSÉ** | **PRÉSENT** |
| je sèche | j'ai séché | que je sèche |
| tu sèches | tu as séché | que tu sèches |
| il sèche | il a séché | qu'il sèche |
| nous séchons | nous avons séché | que nous séchions |
| vous séchez | vous avez séché | que vous séchiez |
| ils sèchent | ils ont séché | qu'ils sèchent |
| | | |
| **IMPARFAIT** | **PLUS-QUE-PARFAIT** | **IMPARFAIT** |
| je séchais | j'avais séché | que je séchasse |
| tu séchais | tu avais séché | que tu séchasses |
| il séchait | il avait séché | qu'il séchât |
| nous séchions | nous avions séché | que nous séchassions |
| vous séchiez | vous aviez séché | que vous séchassiez |
| ils séchaient | ils avaient séché | qu'ils séchassent |
| | | |
| **PASSÉ SIMPLE** | **PASSÉ ANTÉRIEUR** | **PASSÉ** |
| je séchai | j'eus séché | que j'aie séché |
| tu séchas | tu eus séché | que tu aies séché |
| il sécha | il eut séché | qu'il ait séché |
| nous séchâmes | nous eûmes séché | que nous ayons séché |
| vous séchâtes | vous eûtes séché | que vous ayez séché |
| ils séchèrent | ils eurent séché | qu'ils aient séché |
| | | |
| **FUTUR** * | **FUTUR ANTÉRIEUR** | **PLUS-QUE-PARFAIT** |
| je sécherai | j'aurai séché | que j'eusse séché |
| tu sécheras | tu auras séché | que tu eusses séché |
| il séchera | il aura séché | qu'il eût séché |
| nous sécherons | nous aurons séché | que nous eussions séché |
| vous sécherez | vous aurez séché | que vous eussiez séché |
| ils sécheront | ils auront séché | qu'ils eussent séché |

## PARTICIPE

**PRÉSENT**
séchant

**PASSÉ**
séché, séchée
ayant séché

## IMPÉRATIF

**PRÉSENT**
sèche
séchons, séchez

**PASSÉ**
aie séché
ayons, ayez séché

## CONDITIONNEL

**PRÉSENT***
je sécherais
tu sécherais
Il sécherait
nous sécherions
vous sécheriez
ils sécheraient

**PASSÉ 1ʳᵉ FORME**
j'aurais séché
tu aurais séché
il aurait séché
nous aurions séché
vous auriez séché
ils auraient séché

**PASSÉ 2ᵉ FORME**
j'eusse séché
tu eusses séché
il eût séché
nous eussions séché
vous eussiez séché
ils eussent séché

Se conjuguent ainsi, en changeant le
« é » en « è » devant une syllabe <u>finale</u>
muette, les verbes en -É-ER, c'est-à-
dire les verbes se terminant par :
-ÉBRER, -ÉCER, -ÉCHER,
-ÉCRER, -ÉDER, -ÉGER, -ÉGLER,
-ÉJER, -ÉGNER, -ÉGRER,
-ÉGUER, -ÉLER, -ÉMER, -ÉNER,
-ÉPER, -ÉQUER, -ÉRER, -ÉSER,
-ÉTER, -ÉTRER, -ÉVRER, -ÉYER.

* Au futur et au conditionnel présent,
le « é » reste fermé car la syllabe
muette qui le suit n'est pas une finale
(je sécherai…, je sécherais…).

Toutefois, l'Académie française, prenant
en compte la prononciation courante,
préconise aujourd'hui de transformer
ce « é » en « è » (je sècherai…,
je sècherais…).

⇨ Verbes en -ÉCER
(comme « rapiécer ») : voir aussi le
tableau n° 8.

⇨ Verbes en -ÉGER
(comme « piéger ») : voir aussi le
tableau n° 9.

✓AVÉRER ne s'emploie guère qu'au
participe passé, à l'infinitif et à la
forme pronominale.

| N° 11 | INFINITIF |
|---|---|
| **LEVER**<br>verbe du 1er groupe | **présent**<br>lever<br><br>**passé**<br>avoir levé |

| INDICATIF | | SUBJONCTIF |
|---|---|---|

| **présent** | **passé composé** | **présent** |
|---|---|---|
| je lève | j'ai levé | que je lève |
| tu lèves | tu as levé | que tu lèves |
| il lève | il a levé | qu'il lève |
| nous levons | nous avons levé | que nous levions |
| vous levez | vous avez levé | que vous leviez |
| ils lèvent | ils ont levé | qu'ils lèvent |

| **imparfait** | **plus-que-parfait** | **imparfait** |
|---|---|---|
| je levais | j'avais levé | que je levasse |
| tu levais | tu avais levé | que tu levasses |
| il levait | il avait levé | qu'il levât |
| nous levions | nous avions levé | que nous levassions |
| vous leviez | vous aviez levé | que vous levassiez |
| ils levaient | ils avaient levé | qu'ils levassent |

| **passé simple** | **passé antérieur** | **passé** |
|---|---|---|
| je levai | j'eus levé | que j'aie levé |
| tu levas | tu eus levé | que tu aies levé |
| il leva | il eut levé | qu'il ait levé |
| nous levâmes | nous eûmes levé | que nous ayons levé |
| vous levâtes | vous eûtes levé | que vous ayez levé |
| ils levèrent | ils eurent levé | qu'ils aient levé |

| **futur** | **futur antérieur** | **plus-que-parfait** |
|---|---|---|
| je lèverai | j'aurai levé | que j'eusse levé |
| tu lèveras | tu auras levé | que tu eusses levé |
| il lèvera | il aura levé | qu'il eût levé |
| nous lèverons | nous aurons levé | que nous eussions levé |
| vous lèverez | vous aurez levé | que vous eussiez levé |
| ils lèveront | ils auront levé | qu'ils eussent levé |

## PARTICIPE

PRÉSENT
levant

PASSÉ
levé, levée
ayant levé

## IMPÉRATIF

PRÉSENT
lève
levons, levez

PASSÉ
aie levé
ayons levé, ayez levé

## CONDITIONNEL

PRÉSENT
je lèverais
tu lèverais
il lèverait
nous lèverions
vous lèveriez
ils lèveraient

PASSÉ 1ʳᵉ FORME
j'aurais levé
tu aurais levé
il aurait levé
nous aurions levé
vous auriez levé
ils auraient levé

PASSÉ 2ᵉ FORME
j'eusse levé
tu eusses levé
il eût levé
nous eussions levé
vous eussiez levé
ils eussent levé

Se conjuguent ainsi, en changeant le « e » en « è » devant une syllabe muette, les verbes se terminant par : -ECER, -EMER, -ENER, -EPER, -ERER, -ESER, -EVER, -EVRER.

⇨ Verbes en -ECER (comme « dépecer ») : voir aussi le tableau n° 8.

⇨ Les verbes en -EXER suivent la conjugaison n° 3 (il vexe, que j'indexe, il annexera…).

⇨ Les verbes en -EYER suivent la conjugaison n° 3 (il grasseye, elle faseye…).

# N° 12

## BALAYER

verbe du 1er groupe

### INFINITIF

**présent**
balayer

**passé**
avoir balayé

### INDICATIF

| présent | futur |
|---|---|
| je balaie | je balaierai |
| tu balaies | tu balaieras |
| il balaie | il balaiera |
| nous balayons | nous balaierons |
| vous balayez | vous balaierez |
| ils balaient | ils balaieront |

| ou | ou |
|---|---|
| je balaye | je balayerai |
| tu balayes | tu balayeras |
| il balaye | il balayera |
| nous balayons | nous balayerons |
| vous balayez | vous balayerez |
| ils balayent | ils balayeront |

| imparfait | passé composé |
|---|---|
| je balayais | j'ai balayé |
| tu balayais | tu as balayé |
| il balayait | il a balayé |
| nous balayions * | nous avons balayé |
| vous balayiez * | vous avez balayé |
| ils balayaient | ils ont balayé |

| passé simple | plus-que-parfait |
|---|---|
| je balayai | j'avais balayé |
| tu balayas | tu avais balayé |
| il balaya | il avait balayé |
| nous balayâmes | nous avions balayé |
| vous balayâtes | vous aviez balayé |
| ils balayèrent | ils avaient balayé |

### PARTICIPE

**présent**
balayant

**passé**
balayé, balayée
ayant balayé

### IMPÉRATIF

**présent**
balaie ou balaye
balayons, balayez

**passé**
aie balayé
ayons, ayez balayé

| passé antérieur |
|---|
| j'eus balayé |
| tu eus balayé |
| il eut balayé |
| nous eûmes balayé |
| vous eûtes balayé |
| ils eurent balayé |

| futur antérieur |
|---|
| j'aurai balayé |
| tu auras balayé |
| il aura balayé |
| nous aurons balayé |
| vous aurez balayé |
| ils auront balayé |

| SUBJONCTIF | | CONDITIONNEL |
|---|---|---|
| PRÉSENT | PASSÉ | PRÉSENT |
| que je balaie | que j'aie balayé | je balaierais |
| que tu balaies | que tu aies balayé | tu balaierais |
| qu'il balaie | qu'il ait balayé | il balaierait |
| que nous balayions * | que nous ayons balayé | nous balaierions |
| que vous balayiez * | que vous ayez balayé | vous balaieriez |
| qu'ils balaient | qu'ils aient balayé | ils balaieraient |
| OU | PLUS-QUE-PARFAIT | OU |
| que je balaye | que j'eusse balayé | je balayerais |
| que tu balayes | que tu eusses balayé | tu balayerais |
| qu'il balaye | qu'il eût balayé | il balayerait |
| que nous balayions * | que nous eussions balayé | nous balayerions |
| que vous balayiez * | que vous eussiez balayé | vous balayeriez |
| qu'ils balayent | qu'ils eussent balayé | ils balayeraient |
| IMPARFAIT | PASSÉ 1ʳᵉ FORME | PASSÉ 2ᵉ FORME |
| que je balayasse | j'aurais balayé | j'eusse balayé |
| que tu balayasses | tu aurais balayé | tu eusses balayé |
| qu'il balayât | il aurait balayé | il eût balayé |
| que nous balayassions | nous aurions balayé | nous eussions balayé |
| que vous balayassiez | vous auriez balayé | vous eussiez balayé |
| qu'ils balayassent | ils auraient balayé | ils eussent balayé |

Se conjuguent ainsi tous les verbes en -AYER. Devant un « e » muet, on peut soit conserver le « y » (il balaye, il payera), soit le remplacer par un « i » (il balaie, il paiera).

* Attention au « yi » à la 1ʳᵉ et à la 2ᵉ personne du pluriel à l'imparfait de l'indicatif et au présent du subjonctif (nous rayions, vous effrayiez…).

⇨ Les verbes en -EYER suivent la conjugaison n° 3 (il grasseye).

# N° 13

# NETTOYER

VERBE DU 1ᴱᴿ GROUPE

## INFINITIF

PRÉSENT
nettoyer

PASSÉ
avoir nettoyé

## INDICATIF

| PRÉSENT | PASSÉ COMPOSÉ |
|---|---|
| je nettoie | j'ai nettoyé |
| tu nettoies | tu as nettoyé |
| il nettoie | il a nettoyé |
| nous nettoyons | nous avons nettoyé |
| vous nettoyez | vous avez nettoyé |
| ils nettoient | ils ont nettoyé |

| IMPARFAIT | PLUS-QUE-PARFAIT |
|---|---|
| je nettoyais | j'avais nettoyé |
| tu nettoyais | tu avais nettoyé |
| il nettoyait | il avait nettoyé |
| nous nettoyions * | nous avions nettoyé |
| vous nettoyiez * | vous aviez nettoyé |
| ils nettoyaient | ils avaient nettoyé |

| PASSÉ SIMPLE | PASSÉ ANTÉRIEUR |
|---|---|
| je nettoyai | j'eus nettoyé |
| tu nettoyas | tu eus nettoyé |
| il nettoya | il eut nettoyé |
| nous nettoyâmes | nous eûmes nettoyé |
| vous nettoyâtes | vous eûtes nettoyé |
| ils nettoyèrent | ils eurent nettoyé |

| FUTUR | FUTUR ANTÉRIEUR |
|---|---|
| je nettoierai | j'aurai nettoyé |
| tu nettoieras | tu auras nettoyé |
| il nettoiera | il aura nettoyé |
| nous nettoierons | nous aurons nettoyé |
| vous nettoierez | vous aurez nettoyé |
| ils nettoieront | ils auront nettoyé |

## SUBJONCTIF

PRÉSENT
que je nettoie
que tu nettoies
qu'il nettoie
que nous nettoyions *
que vous nettoyiez *
qu'ils nettoient

IMPARFAIT
que je nettoyasse
que tu nettoyasses
qu'il nettoyât
que nous nettoyassions
que vous nettoyassiez
qu'ils nettoyassent

PASSÉ
que j'aie nettoyé
que tu aies nettoyé
qu'il ait nettoyé
que nous ayons nettoyé
que vous ayez nettoyé
qu'ils aient nettoyé

PLUS-QUE-PARFAIT
que j'eusse nettoyé
que tu eusses nettoyé
qu'il eût nettoyé
que nous eussions nettoyé
que vous eussiez nettoyé
qu'ils eussent nettoyé

## PARTICIPE

**PRÉSENT**
nettoyant

**PASSÉ**
nettoyé, nettoyée
ayant nettoyé

## IMPÉRATIF

**PRÉSENT**
nettoie
nettoyons, netoyez

**PASSÉ**
aie nettoyé
ayons, ayez nettoyé

## CONDITIONNEL

**PRÉSENT**
je nettoierais
tu nettoierais
il nettoierait
nous nettoierions
vous nettoieriez
ils nettoieraient

**PASSÉ 1re FORME**
j'aurais nettoyé
tu aurais nettoyé
il aurait nettoyé
nous aurions nettoyé
vous auriez nettoyé
ils auraient nettoyé

**PASSÉ 2e FORME**
j'eusse nettoyé
tu eusses nettoyé
il eût nettoyé
nous eussions nettoyé
vous eussiez nettoyé
ils eussent nettoyé

Se conjuguent ainsi :
- tous les verbes en -OYER
(sauf ENVOYER et RENVOYER,
voir tableau n° 14),
- tous les verbes en -UYER.
Devant un « e » muet, on remplace
toujours le « y » par un « i » (il se
noie, tu m'ennuies, il convoiera…).

\* Attention au « yi » à la 1re et à la
2e personne du pluriel à l'imparfait de
l'indicatif et au présent du subjonctif
(nous nettoyions, vous broyiez…).

⇨ Les verbes en -EYER suivent la
conjugaison n° 3 (il grasseye).

| N° 14<br><br>ENVOYER<br><br>VERBE DU 1ᵉʳ GROUPE | INFINITIF<br><br>**PRÉSENT**<br>envoyer<br><br>**PASSÉ**<br>avoir envoyé |
|---|---|
| **INDICATIF** | **SUBJONCTIF** |

| INDICATIF | | SUBJONCTIF |
|---|---|---|
| **PRÉSENT**<br>j'envoie<br>tu envoies<br>il envoie<br>nous envoyons<br>vous envoyez<br>ils envoient | **PASSÉ COMPOSÉ**<br>j'ai envoyé<br>tu as envoyé<br>il a envoyé<br>nous avons envoyé<br>vous avez envoyé<br>ils ont envoyé | **PRÉSENT**<br>que j'envoie<br>que tu envoies<br>qu'il envoie<br>que nous envoyions *<br>que vous envoyiez *<br>qu'ils envoient |
| **IMPARFAIT**<br>j'envoyais<br>tu envoyais<br>il envoyait<br>nous envoyions *<br>vous envoyiez *<br>ils envoyaient | **PLUS-QUE-PARFAIT**<br>j'avais envoyé<br>tu avais envoyé<br>il avait envoyé<br>nous avions envoyé<br>vous aviez envoyé<br>ils avaient envoyé | **IMPARFAIT**<br>que j'envoyasse<br>que tu envoyasses<br>qu'il envoyât<br>que nous envoyassions<br>que vous envoyassiez<br>qu'ils envoyassent |
| **PASSÉ SIMPLE**<br>j'envoyai<br>tu envoyas<br>il envoya<br>nous envoyâmes<br>vous envoyâtes<br>ils envoyèrent | **PASSÉ ANTÉRIEUR**<br>j'eus envoyé<br>tu eus envoyé<br>il eut envoyé<br>nous eûmes envoyé<br>vous eûtes envoyé<br>ils eurent envoyé | **PASSÉ**<br>que j'aie envoyé<br>que tu aies envoyé<br>qu'il ait envoyé<br>que nous ayons envoyé<br>que vous ayez envoyé<br>qu'ils aient envoyé |
| **FUTUR**<br>j'enverrai<br>tu enverras<br>il enverra<br>nous enverrons<br>vous enverrez<br>ils enverront | **FUTUR ANTÉRIEUR**<br>j'aurai envoyé<br>tu auras envoyé<br>il aura envoyé<br>nous aurons envoyé<br>vous aurez envoyé<br>ils auront envoyé | **PLUS-QUE-PARFAIT**<br>que j'eusse envoyé<br>que tu eusses envoyé<br>qu'il eût envoyé<br>que nous eussions envoyé<br>que vous eussiez envoyé<br>qu'ils eussent envoyé |

## PARTICIPE

**PRÉSENT**
envoyant

**PASSÉ**
envoyé, envoyée
ayant envoyé

## IMPÉRATIF

**PRÉSENT**
envoie
envoyons, envoyez

**PASSÉ**
aie envoyé
ayons, ayez envoyé

## CONDITIONNEL

**PRÉSENT**
j'enverrais
tu enverrais
il enverrait
nous enverrions
vous enverriez
ils enverraient

**PASSÉ 1ʳᵉ FORME**
j'aurais envoyé
tu aurais envoyé
il aurait envoyé
nous aurions envoyé
vous auriez envoyé
ils auraient envoyé

**PASSÉ 2ᵉ FORME**
j'eusse envoyé
tu eusses envoyé
il eût envoyé
nous eussions envoyé
vous eussiez envoyé
ils eussent envoyé

Même conjugaison pour :
**RENVOYER.**

➭ **ENVOYER** et **RENVOYER**
se conjuguent comme tous les verbes
en -OYER, sauf au futur et au
conditionnel présent, où ils prennent
alors les mêmes formes que le verbe
**VOIR** (j'enverrai, vous renverriez…).

* Attention au « yi » à la 1ʳᵉ et à
la 2ᵉ personne du pluriel à l'imparfait
de l'indicatif et au présent du
subjonctif (nous envoyions, vous
renvoyiez…).

# N° 15

## FINIR

verbe du 2e groupe

### INFINITIF

**présent**
finir

**passé**
avoir fini

## INDICATIF

| présent | passé composé |
|---------|---------------|
| je finis | j'ai fini |
| tu finis | tu as fini |
| il finit | il a fini |
| nous finissons | nous avons fini |
| vous finissez | vous avez fini |
| ils finissent | ils ont fini |

| imparfait | plus-que-parfait |
|-----------|------------------|
| je finissais | j'avais fini |
| tu finissais | tu avais fini |
| il finissait | il avait fini |
| nous finissions | nous avions fini |
| vous finissiez | vous aviez fini |
| ils finissaient | ils avaient fini |

| passé simple | passé antérieur |
|--------------|-----------------|
| je finis | j'eus fini |
| tu finis | tu eus fini |
| il finit | il eut fini |
| nous finîmes | nous eûmes fini |
| vous finîtes | vous eûtes fini |
| ils finirent | ils eurent fini |

| futur | futur antérieur |
|-------|-----------------|
| je finirai | j'aurai fini |
| tu finiras | tu auras fini |
| il finira | il aura fini |
| nous finirons | nous aurons fini |
| vous finirez | vous aurez fini |
| ils finiront | ils auront fini |

## SUBJONCTIF

**présent**
que je finisse
que tu finisses
qu'il finisse
que nous finissions
que vous finissiez
qu'ils finissent

**imparfait**
que je finisse
que tu finisses
qu'il finît
que nous finissions
que vous finissiez
qu'ils finissent

**passé**
que j'aie fini
que tu aies fini
qu'il ait fini
que nous ayons fini
que vous ayez fini
qu'ils aient fini

**plus-que-parfait**
que j'eusse fini
que tu eusses fini
qu'il eût fini
que nous eussions fini
que vous eussiez fini
qu'ils eussent fini

## PARTICIPE

PRÉSENT
finissant

PASSÉ
fini, finie
ayant fini

## IMPÉRATIF

PRÉSENT
finis
finissons, finissez

PASSÉ
aie fini
ayons, ayez fini

## CONDITIONNEL

PRÉSENT
je finirais
tu finirais
il finirait
nous finirions
vous finiriez
ils finiraient

PASSÉ 1re FORME
j'aurais fini
tu aurais fini
il aurait fini
nous aurions fini
vous auriez fini
ils auraient fini

PASSÉ 2e FORME
j'eusse fini
tu eusses fini
il eût fini
nous eussions fini
vous eussiez fini
ils eussent fini

---

Ainsi se conjuguent tous les verbes du 2e groupe.
Ils se terminent par **-ir** à l'infinitif et par **-issant** au participe présent.

✓ **bénir** suit la même conjugaison mais il a deux participes passés :
« béni, bénie » (époque bénie)
ou « bénit, bénite » (eau bénite).

✓ **fleurir** : au sens de « prospérer », le radical « fleur- » devient « flor- » au participe présent (florissant) et à l'indicatif imparfait (son affaire florissait).

✓ **maudire** se conjugue sur ce modèle, sauf à l'infinitif et au participe passé (« maudit, maudite »).
Attention à ne pas le conjuguer comme **dire** (vous dites, mais vous maudissez).

✓ **obéir, désobéir** : ils sont intransitifs mais, anciennement transitifs, ils ont gardé une forme passive (sera-t-elle obéie ?).

✓ **ressortir** : même conjugaison au sens de « être du ressort de » ; au sens de « sortir de nouveau », voir n° 19.

✓ **rassir** ne s'emploie qu'à l'infinitif et au participe passé (« rassis, rassise »).

✓ **saillir** : même conjugaison au sens de « couvrir (une femelle) » ; au sens de « faire saillie, déborder », voir n° 28.

| N° 16 | INFINITIF |
|---|---|
| **HAÏR**<br>verbe du 2ᵉ groupe | **présent**<br>haïr<br><br>**passé**<br>avoir haï |

## INDICATIF

| présent | passé composé | SUBJONCTIF |
|---|---|---|
| je hais * | j'ai haï | **présent** |
| tu hais * | tu as haï | que je haïsse |
| il hait * | il a haï | que tu haïsses |
| nous haïssons | nous avons haï | qu'il haïsse |
| vous haïssez | vous avez haï | que nous haïssions |
| ils haïssent | ils ont haï | que vous haïssiez |
|  |  | qu'ils haïssent |

| imparfait | plus-que-parfait | imparfait |
|---|---|---|
| je haïssais | j'avais haï | que je haïsse |
| tu haïssais | tu avais haï | que tu haïsses |
| il haïssait | il avait haï | qu'il haït ** |
| nous haïssions | nous avions haï | que nous haïssions |
| vous haïssiez | vous aviez haï | que vous haïssiez |
| ils haïssaient | ils avaient haï | qu'ils haïssent |

| passé simple | passé antérieur | passé |
|---|---|---|
| je haïs | j'eus haï | que j'aie haï |
| tu haïs | tu eus haï | que tu aies haï |
| il haït | il eut haï | qu'il ait haï |
| nous haïmes ** | nous eûmes haï | que nous ayons haï |
| vous haïtes ** | vous eûtes haï | que vous ayez haï |
| ils haïrent | ils eurent haï | qu'ils aient haï |

| futur | futur antérieur | plus-que-parfait |
|---|---|---|
| je haïrai | j'aurai haï | que j'eusse haï |
| tu haïras | tu auras haï | que tu eusses haï |
| il haïra | il aura haï | qu'il eût haï |
| nous haïrons | nous aurons haï | que nous eussions haï |
| vous haïrez | vous aurez haï | que vous eussiez haï |
| ils haïront | ils auront haï | qu'ils eussent haï |

## PARTICIPE

PRÉSENT
haïssant

PASSÉ
haï, haïe
ayant haï

## IMPÉRATIF

PRÉSENT
hais *
haïssons, haïssez

PASSÉ
aie haï
ayons haï, ayez haï

## CONDITIONNEL

PRÉSENT
je haïrais
tu haïrais
il haïrait
nous haïrions
vous haïriez
ils haïraient

PASSÉ 1ʳᵉ FORME
j'aurais haï
tu aurais haï
il aurait haï
nous aurions haï
vous auriez haï
ils auraient haï

PASSÉ 2ᵉ FORME
j'eusse haï
tu eusses haï
il eût haï
nous eussions haï
vous eussiez haï
ils eussent haï

Même conjugaison pour :
S'ENTRE-HAÏR.

* Le tréma du « i » de l'infinitif
disparaît aux trois 1ʳᵉˢ personnes
du présent de l'indicatif et à la
2ᵉ personne du présent de l'impératif.

** L'accent circonflexe s'efface au profit
du tréma à la 1ʳᵉ et à la 2ᵉ personne
du pluriel du passé simple ainsi qu'à la
3ᵉ personne du singulier de l'imparfait
du subjonctif.

| N° 17 | INFINITIF |
|---|---|
| **ALLER**<br><br>VERBE DU 3E GROUPE | **PRÉSENT**<br>aller<br><br>**PASSÉ**<br>être allé(e) |

| INDICATIF | | SUBJONCTIF |
|---|---|---|
| **PRÉSENT**<br>je vais<br>tu vas<br>il va<br>nous allons<br>vous allez<br>ils vont | **PASSÉ COMPOSÉ**<br>je suis allé<br>tu es allé<br>il est allé<br>nous sommes allés<br>vous êtes allés<br>ils sont allés | **PRÉSENT**<br>que j'aille<br>que tu ailles<br>qu'il aille<br>que nous allions<br>que vous alliez<br>qu'ils aillent |
| **IMPARFAIT**<br>j'allais<br>tu allais<br>il allait<br>nous allions<br>vous alliez<br>ils allaient | **PLUS-QUE-PARFAIT**<br>j'étais allé<br>tu étais allé<br>il était allé<br>nous étions allés<br>vous étiez allés<br>ils étaient allés | **IMPARFAIT**<br>que j'allasse<br>que tu allasses<br>qu'il allât<br>que nous allassions<br>que vous allassiez<br>qu'ils allassent |
| **PASSÉ SIMPLE**<br>j'allai<br>tu allas<br>il alla<br>nous allâmes<br>vous allâtes<br>ils allèrent | **PASSÉ ANTÉRIEUR**<br>je fus allé<br>tu fus allé<br>il fut allé<br>nous fûmes allés<br>vous fûtes allés<br>ils furent allés | **PASSÉ**<br>que je sois allé<br>que tu sois allé<br>qu'il soit allé<br>que nous soyons allés<br>que vous soyez allés<br>qu'ils soient allés |
| **FUTUR**<br>j'irai<br>tu iras<br>il ira<br>nous irons<br>vous irez<br>ils iront | **FUTUR ANTÉRIEUR**<br>je serai allé<br>tu seras allé<br>il sera allé<br>nous serons allés<br>vous serez allés<br>ils seront allés | **PLUS-QUE-PARFAIT**<br>que je fusse allé<br>que tu fusses allé<br>qu'il fût allé<br>que nous fussions allés<br>que vous fussiez allés<br>qu'ils fussent allés |

## PARTICIPE

**PRÉSENT**
allant

**PASSÉ**
allé, allée
étant allé(e)

## IMPÉRATIF

**PRÉSENT**
va *
allons, allez

**PASSÉ**
sois allé
soyons, soyez allés

## CONDITIONNEL

**PRÉSENT**
j'irais
tu irais
il irait
nous irions
vous iriez
ils iraient

**PASSÉ 1ʳᵉ FORME**
je serais allé
tu serais allé
il serait allé
nous serions allés
vous seriez allés
ils seraient allés

**PASSÉ 2ᵉ FORME**
je fusse allé
tu fusses allé
il fût allé
nous fussions allés
vous fussiez allés
ils fussent allés

**ALLER** se conjugue sur trois radicaux différents :
- « v (a)- » (je vais, tu vas, il va, ils vont, va!),
- « ir- » au futur et au conditionnel présent,
- « all- » dans les autres cas.

* Attention à l'impératif présent :
« va! », mais « vas-y! ».

⇨ **S'EN ALLER** se conjugue comme **ALLER**.
Attention à bien placer les pronoms aux temps composés et à l'impératif :
- « je m'en suis allé…, nous nous en sommes allés… »,
- « va-t'en, allons-nous-en… ».

| N° 18 | INFINITIF |
|---|---|
| **TENIR** | **PRÉSENT** tenir |
| VERBE DU 3ᴱ GROUPE | **PASSÉ** avoir tenu |

| INDICATIF | | SUBJONCTIF |
|---|---|---|
| **PRÉSENT** je tiens tu tiens il tient nous tenons vous tenez ils tiennent | **PASSÉ COMPOSÉ** j'ai tenu tu as tenu il a tenu nous avons tenu vous avez tenu ils ont tenu | **PRÉSENT** que je tienne que tu tiennes qu'il tienne que nous tenions que vous teniez qu'ils tiennent |
| **IMPARFAIT** je tenais tu tenais il tenait nous tenions vous teniez ils tenaient | **PLUS-QUE-PARFAIT** j'avais tenu tu avais tenu il avait tenu nous avions tenu vous aviez tenu ils avaient tenu | **IMPARFAIT** que je tinsse que tu tinsses qu'il tînt que nous tinssions que vous tinssiez qu'ils tinssent |
| **PASSÉ SIMPLE** je tins tu tins il tint nous tînmes vous tîntes ils tinrent | **PASSÉ ANTÉRIEUR** j'eus tenu tu eus tenu il eut tenu nous eûmes tenu vous eûtes tenu ils eurent tenu | **PASSÉ** que j'aie tenu que tu aies tenu qu'il ait tenu que nous ayons tenu que vous ayez tenu qu'ils aient tenu |
| **FUTUR** je tiendrai tu tiendras il tiendra nous tiendrons vous tiendrez ils tiendront | **FUTUR ANTÉRIEUR** j'aurai tenu tu auras tenu il aura tenu nous aurons tenu vous aurez tenu ils auront tenu | **PLUS-QUE-PARFAIT** que j'eusse tenu que tu eusses tenu qu'il eût tenu que nous eussions tenu que vous eussiez tenu qu'ils eussent tenu |

## PARTICIPE

**PRÉSENT**
tenant

**PASSÉ**
tenu, tenue
ayant tenu

## IMPÉRATIF

**PRÉSENT**
tiens
tenons, tenez

**PASSÉ**
aie tenu
ayons tenu, ayez tenu

## CONDITIONNEL

**PRÉSENT**
je tiendrais
tu tiendrais
il tiendrait
nous tiendrions
vous tiendriez
ils tiendraient

**PASSÉ 1ʳᵉ FORME**
j'aurais tenu
tu aurais tenu
il aurait tenu
nous aurions tenu
vous auriez tenu
ils auraient tenu

**PASSÉ 2ᵉ FORME**
j'eusse tenu
tu eusses tenu
il eût tenu
nous eussions tenu
vous eussiez tenu
ils eussent tenu

Même conjugaison pour tous les composés de TENIR.

⇨ VENIR et ses composés suivent la même conjugaison.
Seul varie l'emploi de l'auxiliaire : ils se conjuguent avec l'auxiliaire « être » (hormis CIRCONVENIR, CONTREVENIR, PRÉVENIR et SUBVENIR).

⇨ CONVENIR se conjugue, selon le sens, soit avec « avoir » soit avec « être » : cette proposition ne nous a pas convenu, nous sommes convenus de nous revoir.

✓ ADVENIR ne s'emploie qu'à l'infinitif et à la 3ᵉ personne (singulier et pluriel).

✓ SOUVENIR se conjugue en général à la forme pronominale (je me souviens de toi) ; il peut aussi être impersonnel (il me souvient).

| N° 19 SENTIR verbe du 3ᵉ groupe | INFINITIF |
|---|---|
| | **PRÉSENT** sentir |
| | **PASSÉ** avoir senti |

| INDICATIF | | SUBJONCTIF |
|---|---|---|

**PRÉSENT**
je sens
tu sens
il sent
nous sentons
vous sentez
ils sentent

**PASSÉ COMPOSÉ**
j'ai senti
tu as senti
il a senti
nous avons senti
vous avez senti
ils ont senti

**PRÉSENT**
que je sente
que tu sentes
qu'il sente
que nous sentions
que vous sentiez
qu'ils sentent

**IMPARFAIT**
je sentais
tu sentais
il sentait
nous sentions
vous sentiez
ils sentaient

**PLUS-QUE-PARFAIT**
j'avais senti
tu avais senti
il avait senti
nous avions senti
vous aviez senti
ils avaient senti

**IMPARFAIT**
que je sentisse
que tu sentisses
qu'il sentît
que nous sentissions
que vous sentissiez
qu'ils sentissent

**PASSÉ SIMPLE**
je sentis
tu sentis
il sentit
nous sentîmes
vous sentîtes
ils sentirent

**PASSÉ ANTÉRIEUR**
j'eus senti
tu eus senti
il eut senti
nous eûmes senti
vous eûtes senti
ils eurent senti

**PASSÉ**
que j'aie senti
que tu aies senti
qu'il ait senti
que nous ayons senti
que vous ayez senti
qu'ils aient senti

**FUTUR**
je sentirai
tu sentiras
il sentira
nous sentirons
vous sentirez
ils sentiront

**FUTUR ANTÉRIEUR**
j'aurai senti
tu auras senti
il aura senti
nous aurons senti
vous aurez senti
ils auront senti

**PLUS-QUE-PARFAIT**
que j'eusse senti
que tu eusses senti
qu'il eût senti
que nous eussions senti
que vous eussiez senti
qu'ils eussent senti

## PARTICIPE

PRÉSENT
sentant

PASSÉ
senti, sentie
ayant senti

## IMPÉRATIF

PRÉSENT
sens
sentons, sentez

PASSÉ
aie senti
ayons, ayez senti

## CONDITIONNEL

PRÉSENT
je sentirais
tu sentirais
il sentirait
nous sentirions
vous sentiriez
ils sentiraient

PASSÉ 1ʳᵉ FORME
j'aurais senti
tu aurais senti
il aurait senti
nous aurions senti
vous auriez senti
ils auraient senti

PASSÉ 2ᵉ FORME
j'eusse senti
tu eusses senti
il eût senti
nous eussions senti
vous eussiez senti
ils eussent senti

Même conjugaison pour:

- tous les composés de SENTIR,

- SORTIR, RESSORTIR (au sens de « sortir de nouveau »),

- PARTIR, DÉPARTIR, REPARTIR (au sens de « partir de nouveau »), mais toujours avec l'auxiliaire « être »,

- DÉMENTIR,

- SE REPENTIR (avec l'auxiliaire « être »).

✓ REPARTIR, au sens rare de « répliquer », se conjugue avec l'auxiliaire « avoir ».

✓ MENTIR: même conjugaison, mais le participe passé, « menti », est invariable.

⇨ Attention à DÉPARTIR, souvent conjugué fautivement sur le modèle de FINIR; on écrit « départant, il se départ, il se départait… » et non départissant, départit, départissait.

⇨ Attention à IMPARTIR et à RÉPARTIR (de la famille d'un vieux verbe « partir » signifiant « partager ») ainsi qu'à RESSORTIR (au sens de « être du ressort de »): ils se conjuguent sur le modèle de FINIR (tableau n° 15).

# N° 30

## VÊTIR

verbe du 3ᵉ groupe

### INFINITIF

**PRÉSENT**
vêtir

**PASSÉ**
avoir vêtu

### INDICATIF

| PRÉSENT * | PASSÉ COMPOSÉ |
|---|---|
| je vêts | j'ai vêtu |
| tu vêts | tu as vêtu |
| il vêt | il a vêtu |
| nous vêtons | nous avons vêtu |
| vous vêtez | vous avez vêtu |
| ils vêtent | ils ont vêtu |

| IMPARFAIT * | PLUS-QUE-PARFAIT |
|---|---|
| je vêtais | j'avais vêtu |
| tu vêtais | tu avais vêtu |
| il vêtait | il avait vêtu |
| nous vêtions | nous avions vêtu |
| vous vêtiez | vous aviez vêtu |
| ils vêtaient | ils avaient vêtu |

| PASSÉ SIMPLE | PASSÉ ANTÉRIEUR |
|---|---|
| je vêtis | j'eus vêtu |
| tu vêtis | tu eus vêtu |
| il vêtit | il eut vêtu |
| nous vêtîmes | nous eûmes vêtu |
| vous vêtîtes | vous eûtes vêtu |
| ils vêtirent | ils eurent vêtu |

| FUTUR | FUTUR ANTÉRIEUR |
|---|---|
| je vêtirai | j'aurai vêtu |
| tu vêtiras | tu auras vêtu |
| il vêtira | il aura vêtu |
| nous vêtirons | nous aurons vêtu |
| vous vêtirez | vous aurez vêtu |
| ils vêtiront | ils auront vêtu |

### SUBJONCTIF

**PRÉSENT**
que je vête
que tu vêtes
qu'il vête
que nous vêtions
que vous vêtiez
qu'ils vêtent

**IMPARFAIT**
que je vêtisse
que tu vêtisses
qu'il vêtît
que nous vêtissions
que vous vêtissiez
qu'ils vêtissent

**PASSÉ**
que j'aie vêtu
que tu aies vêtu
qu'il ait vêtu
que nous ayons vêtu
que vous ayez vêtu
qu'ils aient vêtu

**PLUS-QUE-PARFAIT**
que j'eusse vêtu
que tu eusses vêtu
qu'il eût vêtu
que nous eussions vêtu
que vous eussiez vêtu
qu'ils eussent vêtu

## PARTICIPE

PRÉSENT
vêtant *

PASSÉ
vêtu, vêtue
ayant vêtu

## IMPÉRATIF

PRÉSENT
vêts
vêtons, vêtez

PASSÉ
aie vêtu
ayons vêtu, ayez vêtu

## CONDITIONNEL

PRÉSENT
je vêtirais
tu vêtirais
il vêtirait
nous vêtirions
vous vêtiriez
ils vêtiraient

PASSÉ 1re FORME
j'aurais vêtu
tu aurais vêtu
il aurait vêtu
nous aurions vêtu
vous auriez vêtu
ils auraient vêtu

PASSÉ 2e FORME
j'eusse vêtu
tu eusses vêtu
il eût vêtu
nous eussions vêtu
vous eussiez vêtu
ils eussent vêtu

Même conjugaison pour : dévêtir, revêtir.

* Attention à l'indicatif présent et imparfait (« il vêt, ils vêtent,… il vêtait ») et au participe présent (« vêtant »), conjugués fautivement par certains sur le modèle de finir (il vêtit, ils vêtissent, il vêtissait, vêtissant).

| N° 21 | INFINITIF |
|---|---|
| **SERVIR** | **PRÉSENT** <br> servir |
| VERBE du 3ᴱ GROUPE | **PASSÉ** <br> avoir servi |

## INDICATIF

| PRÉSENT | PASSÉ COMPOSÉ |
|---|---|
| je sers | j'ai servi |
| tu sers | tu as servi |
| il sert | il a servi |
| nous servons | nous avons servi |
| vous servez | vous avez servi |
| ils servent | ils ont servi |

| IMPARFAIT | PLUS-QUE-PARFAIT |
|---|---|
| je servais | j'avais servi |
| tu servais | tu avais servi |
| il servait | il avait servi |
| nous servions | nous avions servi |
| vous serviez | vous aviez servi |
| ils servaient | ils avaient servi |

| PASSÉ SIMPLE | PASSÉ ANTÉRIEUR |
|---|---|
| je servis | j'eus servi |
| tu servis | tu eus servi |
| il servit | il eut servi |
| nous servîmes | nous eûmes servi |
| vous servîtes | vous eûtes servi |
| ils servirent | ils eurent servi |

| FUTUR | FUTUR ANTÉRIEUR |
|---|---|
| je servirai | j'aurai servi |
| tu serviras | tu auras servi |
| il servira | il aura servi |
| nous servirons | nous aurons servi |
| vous servirez | vous aurez servi |
| ils serviront | ils auront servi |

## SUBJONCTIF

| PRÉSENT |
|---|
| que je serve |
| que tu serves |
| qu'il serve |
| que nous servions |
| que vous serviez |
| qu'ils servent |

| IMPARFAIT |
|---|
| que je servisse |
| que tu servisses |
| qu'il servît |
| que nous servissions |
| que vous servissiez |
| qu'ils servissent |

| PASSÉ |
|---|
| que j'aie servi |
| que tu aies servi |
| qu'il ait servi |
| que nous ayons servi |
| que vous ayez servi |
| qu'ils aient servi |

| PLUS-QUE-PARFAIT |
|---|
| que j'eusse servi |
| que tu eusses servi |
| qu'il eût servi |
| que nous eussions servi |
| que vous eussiez servi |
| qu'ils eussent servi |

## PARTICIPE

PRÉSENT
servant

PASSÉ
servi, servie
ayant servi

## IMPÉRATIF

PRÉSENT
sers
servons, servez

PASSÉ
aie servi
ayons servi, ayez servi

## CONDITIONNEL

PRÉSENT
je servirais
tu servirais
il servirait
nous servirions
vous serviriez
ils serviraient

PASSÉ 1ʳᵉ FORME
j'aurais servi
tu aurais servi
il aurait servi
nous aurions servi
vous auriez servi
ils auraient servi

PASSÉ 2ᵉ FORME
j'eusse servi
tu eusses servi
il eût servi
nous eussions servi
vous eussiez servi
ils eussent servi

Même conjugaison pour:
DESSERVIR, RESSERVIR.

⇨ ASSERVIR se conjugue comme
FINIR (tableau n° 15).

| N° 22 | INFINITIF |
|---|---|
| **DORMIR**<br><br>VERBE DU 3ᴱ GROUPE | **PRÉSENT**<br>dormir<br><br>**PASSÉ**<br>avoir dormi |

## INDICATIF

| PRÉSENT | PASSÉ COMPOSÉ |
|---|---|
| je dors | j'ai dormi |
| tu dors | tu as dormi |
| il dort | il a dormi |
| nous dormons | nous avons dormi |
| vous dormez | vous avez dormi |
| ils dorment | ils ont dormi |

| IMPARFAIT | PLUS-QUE-PARFAIT |
|---|---|
| je dormais | j'avais dormi |
| tu dormais | tu avais dormi |
| il dormait | il avait dormi |
| nous dormions | nous avions dormi |
| vous dormiez | vous aviez dormi |
| ils dormaient | ils avaient dormi |

| PASSÉ SIMPLE | PASSÉ ANTÉRIEUR |
|---|---|
| je dormis | j'eus dormi |
| tu dormis | tu eus dormi |
| il dormit | il eut dormi |
| nous dormîmes | nous eûmes dormi |
| vous dormîtes | vous eûtes dormi |
| ils dormirent | ils eurent dormi |

| FUTUR | FUTUR ANTÉRIEUR |
|---|---|
| je dormirai | j'aurai dormi |
| tu dormiras | tu auras dormi |
| il dormira | il aura dormi |
| nous dormirons | nous aurons dormi |
| vous dormirez | vous aurez dormi |
| ils dormiront | ils auront dormi |

## SUBJONCTIF

| PRÉSENT |
|---|
| que je dorme |
| que tu dormes |
| qu'il dorme |
| que nous dormions |
| que vous dormiez |
| qu'ils dorment |

| IMPARFAIT |
|---|
| que je dormisse |
| que tu dormisses |
| qu'il dormît |
| que nous dormissions |
| que vous dormissiez |
| qu'ils dormissent |

| PASSÉ |
|---|
| que j'aie dormi |
| que tu aies dormi |
| qu'il ait dormi |
| que nous ayons dormi |
| que vous ayez dormi |
| qu'ils aient dormi |

| PLUS-QUE-PARFAIT |
|---|
| que j'eusse dormi |
| que tu eusses dormi |
| qu'il eût dormi |
| que nous eussions dormi |
| que vous eussiez dormi |
| qu'ils eussent dormi |

## PARTICIPE

PRÉSENT
dormant

PASSÉ
dormi
ayant dormi

## IMPÉRATIF

PRÉSENT
dors
dormons, dormez

PASSÉ
aie dormi
ayons, ayez dormi

## CONDITIONNEL

PRÉSENT
je dormirais
tu dormirais
il dormirait
nous dormirions
vous dormiriez
ils dormiraient

PASSÉ 1re FORME
j'aurais dormi
tu aurais dormi
il aurait dormi
nous aurions dormi
vous auriez dormi
ils auraient dormi

PASSÉ 2e FORME
j'eusse dormi
tu eusses dormi
il eût dormi
nous eussions dormi
vous eussiez dormi
ils eussent dormi

✓ ENDORMIR, RENDORMIR
suivent la même conjugaison, mais
leur participe passé est variable :
« endormi, endormie » ;
« rendormi, rendormie ».

## N° 23

# COURIR

verbe du 3e groupe

### INFINITIF

présent
courir

passé
avoir couru

| INDICATIF | | SUBJONCTIF |
|---|---|---|
| **présent** | **passé composé** | **présent** |
| je cours | j'ai couru | que je coure |
| tu cours | tu as couru | que tu coures |
| il court | il a couru | qu'il coure |
| nous courons | nous avons couru | que nous courions |
| vous courez | vous avez couru | que vous couriez |
| ils courent | ils ont couru | qu'ils courent |
| **imparfait** | **plus-que-parfait** | **imparfait** |
| je courais | j'avais couru | que je courusse |
| tu courais | tu avais couru | que tu courusses |
| il courait | il avait couru | qu'il courût |
| nous courions | nous avions couru | que nous courussions |
| vous couriez | vous aviez couru | que vous courussiez |
| ils couraient | ils avaient couru | qu'ils courussent |
| **passé simple** | **passé antérieur** | **passé** |
| je courus | j'eus couru | que j'aie couru |
| tu courus | tu eus couru | que tu aies couru |
| il courut | il eut couru | qu'il ait couru |
| nous courûmes | nous eûmes couru | que nous ayons couru |
| vous courûtes | vous eûtes couru | que vous ayez couru |
| ils coururent | ils eurent couru | qu'ils aient couru |
| **futur \*** | **futur antérieur** | **plus-que-parfait** |
| je courrai | j'aurai couru | que j'eusse couru |
| tu courras | tu auras couru | que tu eusses couru |
| il courra | il aura couru | qu'il eût couru |
| nous courrons | nous aurons couru | que nous eussions couru |
| vous courrez | vous aurez couru | que vous eussiez couru |
| ils courront | ils auront couru | qu'ils eussent couru |

## PARTICIPE

**PRÉSENT**
courant

**PASSÉ**
couru, courue
ayant couru

## IMPÉRATIF

**PRÉSENT**
cours
courons, courez

**PASSÉ**
aie couru
ayons, ayez couru

## CONDITIONNEL

**PRÉSENT \***
je courrais
tu courrais
il courrait
nous courrions
vous courriez
ils courraient

**PASSÉ 1ʳᵉ FORME**
j'aurais couru
tu aurais couru
il aurait couru
nous aurions couru
vous auriez couru
ils auraient couru

**PASSÉ 2ᵉ FORME**
j'eusse couru
tu eusses couru
il eût couru
nous eussions couru
vous eussiez couru
ils eussent couru

Même conjugaison pour: ACCOURIR, ENCOURIR, PARCOURIR, RECOURIR, SECOURIR.

\* Ne pas oublier le doublement du « r » au futur et au conditionnel présent.

✓ CONCOURIR, DISCOURIR: même conjugaison, mais leur participe passé est invariable (« concouru », discouru »).

✓ FÉRIR: verbe défectif qui ne s'emploie qu'à l'infinitif (sans coup férir) et au participe passé (« féru, férue »).

## N° 24

# MOURIR

verbe du 3e groupe

### INFINITIF

présent
mourir

passé
être mort(e)

| INDICATIF | | SUBJONCTIF |
|---|---|---|
| **présent** | **passé composé** | **présent** |
| je meurs | je suis mort | que je meure |
| tu meurs | tu es mort | que tu meures |
| il meurt | il est mort | qu'il meure |
| nous mourons | nous sommes morts | que nous mourions |
| vous mourez | vous êtes morts | que vous mouriez |
| ils meurent | ils sont morts | qu'ils meurent |
| | | |
| **imparfait** | **plus-que-parfait** | **imparfait** |
| je mourais | j'étais mort | que je mourusse |
| tu mourais | tu étais mort | que tu mourusses |
| il mourait | il était mort | qu'il mourût |
| nous mourions | nous étions morts | que nous mourussions |
| vous mouriez | vous étiez morts | que vous mourussiez |
| ils mouraient | ils étaient morts | qu'ils mourussent |
| | | |
| **passé simple** | **passé antérieur** | **passé** |
| je mourus | je fus mort | que je sois mort |
| tu mourus | tu fus mort | que tu sois mort |
| il mourut | il fut mort | qu'il soit mort |
| nous mourûmes | nous fûmes morts | que nous soyons morts |
| vous mourûtes | vous fûtes morts | que vous soyez morts |
| ils moururent | ils furent morts | qu'ils soient morts |
| | | |
| **futur \*** | **futur antérieur** | **plus-que-parfait** |
| je mourrai | je serai mort | que je fusse mort |
| tu mourras | tu seras mort | que tu fusses mort |
| il mourra | il sera mort | qu'il fût mort |
| nous mourrons | nous serons morts | que nous fussions morts |
| vous mourrez | vous serez morts | que vous fussiez morts |
| ils mourront | ils seront morts | qu'ils fussent morts |

## PARTICIPE

PRÉSENT
mourant

PASSÉ
mort, morte
étant mort(e)

## IMPÉRATIF

PRÉSENT
meurs
mourons, mourez

PASSÉ
sois mort
soyons, soyez morts

## CONDITIONNEL

PRÉSENT *
je mourrais
tu mourrais
il mourrait
nous mourrions
vous mourriez
ils mourraient

PASSÉ 1ʳᵉ FORME
je serais mort
tu serais mort
il serait mort
nous serions morts
vous seriez morts
ils seraient morts

PASSÉ 2ᵉ FORME
je fusse mort
tu fusses mort
il fût mort
nous fussions morts
vous fussiez morts
ils fussent morts

⇨ Attention à la transformation du « ou » en « eu » dans certaines formes de cette conjugaison (je meurs, qu'il meure…).

* Ne pas oublier le doublement du « r » au futur et au conditionnel présent.

| N° 25 | INFINITIF |
|---|---|
| **REQUÉRIR**<br><br>verbe du 3ᵉ groupe | **présent**<br>requérir<br><br>**passé**<br>avoir requis |

## INDICATIF

| | | SUBJONCTIF |
|---|---|---|

| **présent** | **passé composé** | **présent** |
|---|---|---|
| je requiers | j'ai requis | que je requière |
| tu requiers | tu as requis | que tu requières |
| il requiert | il a requis | qu'il requière |
| nous requérons | nous avons requis | que nous requérions |
| vous requérez | vous avez requis | que vous requériez |
| ils requièrent | ils ont requis | qu'ils requièrent |
| **imparfait** | **plus-que-parfait** | **imparfait** |
| je requérais | j'avais requis | que je requisse |
| tu requérais | tu avais requis | que tu requisses |
| il requérait | il avait requis | qu'il requît |
| nous requérions | nous avions requis | que nous requissions |
| vous requériez | vous aviez requis | que vous requissiez |
| ils requéraient | ils avaient requis | qu'ils requissent |
| **passé simple** | **passé antérieur** | **passé** |
| je requis | j'eus requis | que j'aie requis |
| tu requis | tu eus requis | que tu aies requis |
| il requit | il eut requis | qu'il ait requis |
| nous requîmes | nous eûmes requis | que nous ayons requis |
| vous requîtes | vous eûtes requis | que vous ayez requis |
| ils requirent | ils eurent requis | qu'ils aient requis |
| **futur \*** | **futur antérieur** | **plus-que-parfait** |
| je requerrai | j'aurai requis | que j'eusse requis |
| tu requerras | tu auras requis | que tu eusses requis |
| il requerra | il aura requis | qu'il eût requis |
| nous requerrons | nous aurons requis | que nous eussions requis |
| vous requerrez | vous aurez requis | que vous eussiez requis |
| ils requerront | ils auront requis | qu'ils eussent requis |

## PARTICIPE

PRÉSENT
requérant
PASSÉ
requis, requise
ayant requis

## IMPÉRATIF

PRÉSENT
requiers
requérons, requérez
PASSÉ
aie requis
ayons, ayez requis

## CONDITIONNEL

PRÉSENT *
je requerrais
tu requerrais
il requerrait
nous requerrions
vous requerriez
ils requerraient

PASSÉ 1ʳᵉ fORME
j'aurais requis
tu aurais requis
il aurait requis
nous aurions requis
vous auriez requis
ils auraient requis

PASSÉ 2ᵉ fORME
j'eusse requis
tu eusses requis
il eût requis
nous eussions requis
vous eussiez requis
ils eussent requis

Même conjugaison pour :
**ACQUÉRIR, CONQUÉRIR,
S'ENQUÉRIR, RECONQUÉRIR.**

\* Ne pas oublier le doublement du « r »
au futur et au conditionnel présent.

✓ QUÉRIR ne s'emploie qu'à l'infinitif,
après des verbes comme « aller »,
« envoyer », « venir » (allons quérir
un médecin).

# N° 26

# BOUILLIR

verbe du 3e groupe

## INFINITIF

PRÉSENT
bouillir

PASSÉ
avoir bouilli

## INDICATIF

| PRÉSENT | PASSÉ COMPOSÉ |
|---|---|
| je bous | j'ai bouilli |
| tu bous | tu as bouilli |
| il bout | il a bouilli |
| nous bouillons | nous avons bouilli |
| vous bouillez | vous avez bouilli |
| ils bouillent | ils ont bouilli |

| IMPARFAIT | PLUS-QUE-PARFAIT |
|---|---|
| je bouillais | j'avais bouilli |
| tu bouillais | tu avais bouilli |
| il bouillait | il avait bouilli |
| nous bouillions | nous avions bouilli |
| vous bouilliez | vous aviez bouilli |
| ils bouillaient | ils avaient bouilli |

| PASSÉ SIMPLE | PASSÉ ANTÉRIEUR |
|---|---|
| je bouillis | j'eus bouilli |
| tu bouillis | tu eus bouilli |
| il bouillit | il eut bouilli |
| nous bouillîmes | nous eûmes bouilli |
| vous bouillîtes | vous eûtes bouilli |
| ils bouillirent | ils eurent bouilli |

| FUTUR * | FUTUR ANTÉRIEUR |
|---|---|
| je bouillirai | j'aurai bouilli |
| tu bouilliras | tu auras bouilli |
| il bouillira | il aura bouilli |
| nous bouillirons | nous aurons bouilli |
| vous bouillirez | vous aurez bouilli |
| ils bouilliront | ils auront bouilli |

## SUBJONCTIF

PRÉSENT
que je bouille
que tu bouilles
qu'il bouille
que nous bouillions
que vous bouilliez
qu'ils bouillent

IMPARFAIT
que je bouillisse
que tu bouillisses
qu'il bouillît
que nous bouillissions
que vous bouillissiez
qu'ils bouillissent

PASSÉ
que j'aie bouilli
que tu aies bouilli
qu'il ait bouilli
que nous ayons bouilli
que vous ayez bouilli
qu'ils aient bouilli

PLUS-QUE-PARFAIT
que j'eusse bouilli
que tu eusses bouilli
qu'il eût bouilli
que nous eussions bouilli
que vous eussiez bouilli
qu'ils eussent bouilli

## PARTICIPE

PRÉSENT
bouillant

PASSÉ **
bouilli, bouillie
ayant bouilli

## IMPÉRATIF

PRÉSENT
bous
bouillons, bouillez

PASSÉ
aie bouilli
ayons, ayez bouilli

## CONDITIONNEL

PRÉSENT *
je bouillirais
tu bouillirais
il bouillirait
nous bouillirions
vous bouilliriez
ils bouilliraient

PASSÉ 1re FORME
j'aurais bouilli
tu aurais bouilli
il aurait bouilli
nous aurions bouilli
vous auriez bouilli
ils auraient bouilli

PASSÉ 2e FORME
j'eusse bouilli
tu eusses bouilli
il eût bouilli
nous eussions bouilli
vous eussiez bouilli
ils eussent bouilli

* Attention au maintien du « i » de l'infinitif au futur et au conditionnel présent (« je bouillirai, il bouillirait… »), en dépit d'une attirance vers des constructions fautives en « e » (je bouillerai, il bouillerait, je bouerai, il bouerait…).

** Malgré le dicton qui nous dit : café bouillu, café foutu…

| N° 27 | INFINITIF |
|---|---|
| **OUVRIR** verbe du 3e groupe | **PRÉSENT** ouvrir **PASSÉ** avoir ouvert |

| INDICATIF | | SUBJONCTIF |
|---|---|---|
| **PRÉSENT** j'ouvre tu ouvres il ouvre nous ouvrons vous ouvrez ils ouvrent | **PASSÉ COMPOSÉ** j'ai ouvert tu as ouvert il a ouvert nous avons ouvert vous avez ouvert ils ont ouvert | **PRÉSENT** que j'ouvre que tu ouvres qu'il ouvre que nous ouvrions que vous ouvriez qu'ils ouvrent |
| **IMPARFAIT** j'ouvrais tu ouvrais il ouvrait nous ouvrions vous ouvriez ils ouvraient | **PLUS-QUE-PARFAIT** j'avais ouvert tu avais ouvert il avait ouvert nous avions ouvert vous aviez ouvert ils avaient ouvert | **IMPARFAIT** que j'ouvrisse que tu ouvrisses qu'il ouvrît que nous ouvrissions que vous ouvrissiez qu'ils ouvrissent |
| **PASSÉ SIMPLE** j'ouvris tu ouvris il ouvrit nous ouvrîmes vous ouvrîtes ils ouvrirent | **PASSÉ ANTÉRIEUR** j'eus ouvert tu eus ouvert il eut ouvert nous eûmes ouvert vous eûtes ouvert ils eurent ouvert | **PASSÉ** que j'aie ouvert que tu aies ouvert qu'il ait ouvert que nous ayons ouvert que vous ayez ouvert qu'ils aient ouvert |
| **FUTUR** j'ouvrirai tu ouvriras il ouvrira nous ouvrirons vous ouvrirez ils ouvriront | **FUTUR ANTÉRIEUR** j'aurai ouvert tu auras ouvert il aura ouvert nous aurons ouvert vous aurez ouvert ils auront ouvert | **PLUS-QUE-PARFAIT** que j'eusse ouvert que tu eusses ouvert qu'il eût ouvert que nous eussions ouvert que vous eussiez ouvert qu'ils eussent ouvert |

## PARTICIPE

PRÉSENT
ouvrant

PASSÉ
ouvert, ouverte
ayant ouvert

## IMPÉRATIF

PRÉSENT
ouvre
ouvrons, ouvrez

PASSÉ
aie ouvert
ayons, ayez ouvert

## CONDITIONNEL

PRÉSENT
j'ouvrirais
tu ouvrirais
il ouvrirait
nous ouvririons
vous ouvririez
ils ouvriraient

PASSÉ 1ʳᵉ FORME
j'aurais ouvert
tu aurais ouvert
il aurait ouvert
nous aurions ouvert
vous auriez ouvert
ils auraient ouvert

PASSÉ 2ᵉ FORME
j'eusse ouvert
tu eusses ouvert
il eût ouvert
nous eussions ouvert
vous eussiez ouvert
ils eussent ouvert

Même conjugaison pour:
COUVRIR, DÉCOUVRIR,
ENTROUVRIR, OFFRIR,
RECOUVRIR, RENTROUVRIR,
ROUVRIR, SOUFFRIR.

## N° 28

## ASSAILLIR

VERBE du 3ᵉ GROUPE

### INFINITIF

PRÉSENT
assaillir

PASSÉ
avoir assailli

### INDICATIF

| PRÉSENT | PASSÉ COMPOSÉ |
|---|---|
| j'assaille | j'ai assailli |
| tu assailles | tu as assailli |
| il assaille | il a assailli |
| nous assaillons | nous avons assailli |
| vous assaillez | vous avez assailli |
| ils assaillent | ils ont assailli |

| IMPARFAIT | PLUS-QUE-PARFAIT |
|---|---|
| j'assaillais | j'avais assailli |
| tu assaillais | tu avais assailli |
| il assaillait | il avait assailli |
| nous assaillions | nous avions assailli |
| vous assailliez | vous aviez assailli |
| ils assaillaient | ils avaient assailli |

| PASSÉ SIMPLE | PASSÉ ANTÉRIEUR |
|---|---|
| j'assaillis | j'eus assailli |
| tu assaillis | tu eus assailli |
| il assaillit | il eut assailli |
| nous assaillîmes | nous eûmes assailli |
| vous assaillîtes | vous eûtes assailli |
| ils assaillirent | ils eurent assailli |

| FUTUR * | FUTUR ANTÉRIEUR |
|---|---|
| j'assaillirai | j'aurai assailli |
| tu assailliras | tu auras assailli |
| il assaillira | il aura assailli |
| nous assaillirons | nous aurons assailli |
| vous assaillirez | vous aurez assailli |
| ils assailliront | ils auront assailli |

### SUBJONCTIF

PRÉSENT
que j'assaille
que tu assailles
qu'il assaille
que nous assaillions
que vous assailliez
qu'ils assaillent

IMPARFAIT
que j'assaillisse
que tu assaillisses
qu'il assaillît
que nous assaillissions
que vous assaillissiez
qu'ils assaillissent

PASSÉ
que j'aie assailli
que tu aies assailli
qu'il ait assailli
que nous ayons assailli
que vous ayez assailli
qu'ils aient assailli

PLUS-QUE-PARFAIT
que j'eusse assailli
que tu eusses assailli
qu'il eût assailli
que nous eussions assailli
que vous eussiez assailli
qu'ils eussent assailli

## PARTICIPE

PRÉSENT
assaillant

PASSÉ
assailli, assaillie
ayant assailli

## IMPÉRATIF

PRÉSENT
assaille
assaillons, assaillez

PASSÉ
aie assailli
ayons, ayez assailli

## CONDITIONNEL

PRÉSENT *
j'assaillirais
tu assaillirais
il assaillirait
nous assaillirions
vous assailliriez
ils assailliraient

PASSÉ 1ʳᵉ FORME
j'aurais assailli
tu aurais assailli
il aurait assailli
nous aurions assailli
vous auriez assailli
ils auraient assailli

PASSÉ 2ᵉ FORME
j'eusse assailli
tu eusses assailli
il eût assailli
nous eussions assailli
vous eussiez assailli
ils eussent assailli

Même conjugaison pour :
**défaillir, tressaillir.**

\* Attention au maintien du « i » de l'infinitif au futur et au conditionnel présent (nous assaillirons, ils assailliraient, elle défaillira, vous tressailliriez…).

✓**faillir** : même conjugaison, mais le présent et l'imparfait de l'indicatif comme le présent du subjonctif sont inusités.
On rencontre encore certaines formes de sa conjugaison archaïque dans l'expression le cœur me faut et aussi dans des expressions comme il s'en faut de, tant s'en faut, peu s'en faut, lesquelles relèvent de **faillir** bien que se conjuguant sur le modèle de **falloir** (voir tableau n° 44).

✓**saillir**, au sens de « faire saillie, déborder » : même conjugaison, sauf au futur et au conditionnel présent, où le « i » de l'infinitif est remplacé par un « e » (« il saillera, il saillerait, ils sailleront… »).

⇨ **saillir**, au sens de « couvrir (une femelle) », suit la conjugaison de **finir** (tableau n° 15).

## N° 29

# CUEILLIR

### verbe du 3ᵉ groupe

### INFINITIF

**présent**
cueillir

**passé**
avoir cueilli

### INDICATIF

**présent**
je cueille
tu cueilles
il cueille
nous cueillons
vous cueillez
ils cueillent

**imparfait**
je cueillais
tu cueillais
il cueillait
nous cueillions
vous cueilliez
ils cueillaient

**passé simple**
je cueillis
tu cueillis
il cueillit
nous cueillîmes
vous cueillîtes
ils cueillirent

**futur ***
je cueillerai
tu cueilleras
il cueillera
nous cueillerons
vous cueillerez
ils cueilleront

**passé composé**
j'ai cueilli
tu as cueilli
il a cueilli
nous avons cueilli
vous avez cueilli
ils ont cueilli

**plus-que-parfait**
j'avais cueilli
tu avais cueilli
il avait cueilli
nous avions cueilli
vous aviez cueilli
ils avaient cueilli

**passé antérieur**
j'eus cueilli
tu eus cueilli
il eut cueilli
nous eûmes cueilli
vous eûtes cueilli
ils eurent cueilli

**futur antérieur**
j'aurai cueilli
tu auras cueilli
il aura cueilli
nous aurons cueilli
vous aurez cueilli
ils auront cueilli

### SUBJONCTIF

**présent**
que je cueille
que tu cueilles
qu'il cueille
que nous cueillions
que vous cueilliez
qu'ils cueillent

**imparfait**
que je cueillisse
que tu cueillisses
qu'il cueillît
que nous cueillissions
que vous cueillissiez
qu'ils cueillissent

**passé**
que j'aie cueilli
que tu aies cueilli
qu'il ait cueilli
que nous ayons cueilli
que vous ayez cueilli
qu'ils aient cueilli

**plus-que-parfait**
que j'eusse cueilli
que tu eusses cueilli
qu'il eût cueilli
que nous eussions cueilli
que vous eussiez cueilli
qu'ils eussent cueilli

## PARTICIPE

**PRÉSENT**
cueillant

**PASSÉ**
cueilli, cueillie
ayant cueilli

## IMPÉRATIF

**PRÉSENT**
cueille
cueillons, cueillez

**PASSÉ**
aie cueilli
ayons, ayez cueilli

## CONDITIONNEL

**PRÉSENT** *
je cueillerais
tu cueillerais
il cueillerait
nous cueillerions
vous cueilleriez
ils cueilleraient

**PASSÉ 1ʳᵉ FORME**
j'aurais cueilli
tu aurais cueilli
il aurait cueilli
nous aurions cueilli
vous auriez cueilli
ils auraient cueilli

**PASSÉ 2ᵉ FORME**
j'eusse cueilli
tu eusses cueilli
il eût cueilli
nous eussions cueilli
vous eussiez cueilli
ils eussent cueilli

Même conjugaison pour :
ACCUEILLIR, RECUEILLIR.

* Attention au « e » remplaçant le « i » de l'infinitif au futur et au conditionnel présent (« je cueillerai », « je cueillerais »).

⇨ Noter aussi les terminaisons en « e » au présent de l'indicatif, du subjonctif et de l'impératif, qui rapprochent la conjugaison de ces verbes de celle des verbes du 1ᵉʳ groupe.

## N° 30

# FUIR

verbe du 3e groupe

### INFINITIF

présent
fuir

passé
avoir fui

## INDICATIF

| présent | passé composé |
|---|---|
| je fuis | j'ai fui |
| tu fuis | tu as fui |
| il fuit | il a fui |
| nous fuyons | nous avons fui |
| vous fuyez | vous avez fui |
| ils fuient | ils ont fui |

| imparfait | plus-que-parfait |
|---|---|
| je fuyais | j'avais fui |
| tu fuyais | tu avais fui |
| il fuyait | il avait fui |
| nous fuyions * | nous avions fui |
| vous fuyiez * | vous aviez fui |
| ils fuyaient | ils avaient fui |

| passé simple | passé antérieur |
|---|---|
| je fuis | j'eus fui |
| tu fuis | tu eus fui |
| il fuit | il eut fui |
| nous fuîmes | nous eûmes fui |
| vous fuîtes | vous eûtes fui |
| ils fuirent | ils eurent fui |

| futur | futur antérieur |
|---|---|
| je fuirai | j'aurai fui |
| tu fuiras | tu auras fui |
| il fuira | il aura fui |
| nous fuirons | nous aurons fui |
| vous fuirez | vous aurez fui |
| ils fuiront | ils auront fui |

## SUBJONCTIF

### présent
que je fuie
que tu fuies
qu'il fuie
que nous fuyions *
que vous fuyiez *
qu'ils fuient

### imparfait
que je fuisse
que tu fuisses
qu'il fuît
que nous fuissions
que vous fuissiez
qu'ils fuissent

### passé
que j'aie fui
que tu aies fui
qu'il ait fui
que nous ayons fui
que vous ayez fui
qu'ils aient fui

### plus-que-parfait
que j'eusse fui
que tu eusses fui
qu'il eût fui
que nous eussions fui
que vous eussiez fui
qu'ils eussent fui

## PARTICIPE

**PRÉSENT**
fuyant

**PASSÉ**
fui, fuie
ayant fui

## IMPÉRATIF

**PRÉSENT**
fuis
fuyons, fuyez

**PASSÉ**
aie fui
ayons fui, ayez fui

## CONDITIONNEL

**PRÉSENT**
je fuirais
tu fuirais
il fuirait
nous fuirions
vous fuiriez
ils fuiraient

**PASSÉ 1ʳᵉ FORME**
j'aurais fui
tu aurais fui
il aurait fui
nous aurions fui
vous auriez fui
ils auraient fui

**PASSÉ 2ᵉ FORME**
j'eusse fui
tu eusses fui
il eût fui
nous eussions fui
vous eussiez fui
ils eussent fui

s'ENfuir se conjugue sur ce modèle mais, étant un verbe pronominal, il utilise l'auxiliaire « être » aux temps composés (ils se sont enfuis).

* Attention au « yi » à la 1ʳᵉ et à la 2ᵉ personne du pluriel à l'imparfait de l'indicatif et au présent du subjonctif.

| N° 31 **OUÏR** verbe du 3e groupe | INFINITIF |
|---|---|

**INFINITIF**

**présent**
ouïr

**passé**
avoir ouï

**INDICATIF**

| **présent** (conj. archaïque) | **passé composé** |
|---|---|
| j'ois | j'ai ouï |
| tu ois | tu as ouï… |
| il oit | |
| nous oyons | **plus-que-parfait** |
| vous oyez | j'avais ouï |
| ils oient | tu avais ouï… |

**imparfait**
(conj. archaïque)
j'oyais
tu oyais…
nous oyions…

**passé antérieur**
j'eus ouï
tu eus ouï…

**futur antérieur**
j'aurai ouï…

**passé simple**
j'ouïs
tu ouïs…
nous ouïmes…

**futur**
j'ouïrai
tu ouïras…

**o u**
(conj. archaïque) :
j'orrai
ou j'oirai
tu orras
ou tu oiras…

**CONDITIONNEL**

**présent**
j'ouïrais…

**o u**
(conj. archaïque) :
j'orrais ou j'oirais
tu orrais
ou tu oirais…

**passé 1re forme**
j'aurais ouï…

**passé 2e forme**
j'eusse ouï…

**PARTICIPE**

**présent**
oyant

**passé**
ouï, ouïe ; ayant ouï

**IMPÉRATIF**

**présent**
ois ; oyons, oyez

**passé**
aie ouï ; ayons, ayez ouï

**SUBJONCTIF**

**présent**
(conj. archaïque) :
que j'oie…
que nous oyions
que vous oyiez…

**imparfait**
(conj. archaïque) :
que j'ouïsse…

**passé**
que j'aie ouï…

**plus-que-parfait**
que j'eusse ouï…

Ce verbe est vieilli et n'est plus utilisé qu'à l'infinitif (en droit, ouïr des témoins), dans les expressions j'ai ouï dire, par ouï-dire ou, de manière plaisante, à l'impératif pluriel (oyons ; oyez bonnes gens !).

| N° 32 | CE VERBE N'EST |
| **GÉSIR** | UTILISÉ AUJOURD'HUI |
| | QU'AUX FORMES |
| VERBE DU 3ᵉ GROUPE | CI-DESSOUS |

| INDICATIF | | INFINITIF |
|---|---|---|
| **PRÉSENT** | **IMPARFAIT** | **PRÉSENT** |
| je gis | je gisais | gésir |
| tu gis | tu gisais | |
| il gît * | il gisait | **PARTICIPE** |
| nous gisons | nous gisions | |
| vous gisez | vous gisiez | **PRÉSENT** |
| ils gisent | ils gisaient | gisant |

* Noter l'accent circonflexe à la 3ᵉ personne du singulier du présent; on le retrouve dans « ci-gît… », inscription funéraire signifiant « ici repose…, ici est enterré… ».

| N° 33 | INFINITIF |
|---|---|
| **VOIR**<br><br>verbe du 3e groupe | **présent**<br>voir<br><br>**passé**<br>avoir vu |

| INDICATIF | | SUBJONCTIF |
|---|---|---|
| **présent** | **passé composé** | **présent** |
| je vois | j'ai vu | que je voie |
| tu vois | tu as vu | que tu voies |
| il voit | il a vu | qu'il voie |
| nous voyons | nous avons vu | que nous voyions ** |
| vous voyez | vous avez vu | que vous voyiez ** |
| ils voient | ils ont vu | qu'ils voient |
| | | |
| **imparfait** | **plus-que-parfait** | **imparfait** |
| je voyais | j'avais vu | que je visse |
| tu voyais | tu avais vu | que tu visses |
| il voyait | il avait vu | qu'il vît |
| nous voyions ** | nous avions vu | que nous vissions |
| vous voyiez ** | vous aviez vu | que vous vissiez |
| ils voyaient | ils avaient vu | qu'ils vissent |
| | | |
| **passé simple** | **passé antérieur** | **passé** |
| je vis | j'eus vu | que j'aie vu |
| tu vis | tu eus vu | que tu aies vu |
| il vit | il eut vu | qu'il ait vu |
| nous vîmes | nous eûmes vu | que nous ayons vu |
| vous vîtes | vous eûtes vu | que vous ayez vu |
| ils virent | ils eurent vu | qu'ils aient vu |
| | | |
| **futur *** | **futur antérieur** | **plus-que-parfait** |
| je verrai | j'aurai vu | que j'eusse vu |
| tu verras | tu auras vu | que tu eusses vu |
| il verra | il aura vu | qu'il eût vu |
| nous verrons | nous aurons vu | que nous eussions vu |
| vous verrez | vous aurez vu | que vous eussiez vu |
| ils verront | ils auront vu | qu'ils eussent vu |

## PARTICIPE

PRÉSENT
voyant

PASSÉ
vu, vue
ayant vu

## IMPÉRATIF

PRÉSENT
vois
voyons, voyez

PASSÉ
aie vu
ayons vu, ayez vu

## CONDITIONNEL

PRÉSENT *
je verrais
tu verrais
il verrait
nous verrions
vous verriez
ils verraient

PASSÉ 1re FORME
j'aurais vu
tu aurais vu
il aurait vu
nous aurions vu
vous auriez vu
ils auraient vu

PASSÉ 2e FORME
j'eusse vu
tu eusses vu
il eût vu
nous eussions vu
vous eussiez vu
ils eussent vu

Même conjugaison pour :
**ENTREVOIR, REVOIR.**

\* Noter le changement du radical,
et le doublement du « r », au futur
et au conditionnel présent.

\*\* Attention au « yi » à la 1re et à la
2e personne du pluriel à l'imparfait de
l'indicatif et au présent du subjonctif.

✓**PRÉVOIR** suit cette conjugaison,
sauf au futur et au conditionnel présent
où il fait :
« je prévoirai…, nous prévoirons… » ;
« je prévoirais…, nous prévoirions… ».

## N° 34

# RECEVOIR

VERBE DU 3E GROUPE

### INFINITIF

PRÉSENT
recevoir

PASSÉ
avoir reçu

## INDICATIF

| PRÉSENT | PASSÉ COMPOSÉ |
|---|---|
| je reçois | j'ai reçu |
| tu reçois | tu as reçu |
| il reçoit | il a reçu |
| nous recevons | nous avons reçu |
| vous recevez | vous avez reçu |
| ils reçoivent | ils ont reçu |

| IMPARFAIT | PLUS-QUE-PARFAIT |
|---|---|
| je recevais | j'avais reçu |
| tu recevais | tu avais reçu |
| il recevait | il avait reçu |
| nous recevions | nous avions reçu |
| vous receviez | vous aviez reçu |
| ils recevaient | ils avaient reçu |

| PASSÉ SIMPLE | PASSÉ ANTÉRIEUR |
|---|---|
| je reçus | j'eus reçu |
| tu reçus | tu eus reçu |
| il reçut | il eut reçu |
| nous reçûmes | nous eûmes reçu |
| vous reçûtes | vous eûtes reçu |
| ils reçurent | ils eurent reçu |

| FUTUR | FUTUR ANTÉRIEUR |
|---|---|
| je recevrai | j'aurai reçu |
| tu recevras | tu auras reçu |
| il recevra | il aura reçu |
| nous recevrons | nous aurons reçu |
| vous recevrez | vous aurez reçu |
| ils recevront | ils auront reçu |

## SUBJONCTIF

PRÉSENT
que je reçoive
que tu reçoives
qu'il reçoive
que nous recevions
que vous receviez
qu'ils reçoivent

IMPARFAIT
que je reçusse
que tu reçusses
qu'il reçût
que nous reçussions
que vous reçussiez
qu'ils reçussent

PASSÉ
que j'aie reçu
que tu aies reçu
qu'il ait reçu
que nous ayons reçu
que vous ayez reçu
qu'ils aient reçu

PLUS-QUE-PARFAIT
que j'eusse reçu
que tu eusses reçu
qu'il eût reçu
que nous eussions reçu
que vous eussiez reçu
qu'ils eussent reçu

## PARTICIPE

**PRÉSENT**
recevant

**PASSÉ**
reçu, reçue
ayant reçu

## IMPÉRATIF

**PRÉSENT**
reçois
recevons, recevez

**PASSÉ**
aie reçu
ayons reçu, ayez reçu

## CONDITIONNEL

**PRÉSENT**
je recevrais
tu recevrais
il recevrait
nous recevrions
vous recevriez
ils recevraient

**PASSÉ 1ʳᵉ FORME**
j'aurais reçu
tu aurais reçu
il aurait reçu
nous aurions reçu
vous auriez reçu
ils auraient reçu

**PASSÉ 2ᵉ FORME**
j'eusse reçu
tu eusses reçu
il eût reçu
nous eussions reçu
vous eussiez reçu
ils eussent reçu

Même conjugaison pour:
APERCEVOIR, CONCEVOIR,
DÉCEVOIR, ENTR'APERCEVOIR,
PERCEVOIR.

⇨ Ne pas oublier la cédille sous le « c » qui précède un « o » ou un « u ».

| N° 35 | INFINITIF |
|---|---|
| **POUVOIR** <br> verbe du 3ᵉ groupe | **présent** <br> pouvoir <br><br> **passé** <br> avoir pu |

| INDICATIF | | SUBJONCTIF |
|---|---|---|

| **présent** | **passé composé** | **présent** |
|---|---|---|
| je peux ou je puis * | j'ai pu | que je puisse |
| tu peux | tu as pu | que tu puisses |
| il peut | il a pu | qu'il puisse |
| nous pouvons | nous avons pu | que nous puissions |
| vous pouvez | vous avez pu | que vous puissiez |
| ils peuvent | ils ont pu | qu'ils puissent |

| **imparfait** | **plus-que-parfait** | **imparfait** |
|---|---|---|
| je pouvais | j'avais pu | que je pusse |
| tu pouvais | tu avais pu | que tu pusses |
| il pouvait | il avait pu | qu'il pût |
| nous pouvions | nous avions pu | que nous pussions |
| vous pouviez | vous aviez pu | que vous pussiez |
| ils pouvaient | ils avaient pu | qu'ils pussent |

| **passé simple** | **passé antérieur** | **passé** |
|---|---|---|
| je pus | j'eus pu | que j'aie pu |
| tu pus | tu eus pu | que tu aies pu |
| il put | il eut pu | qu'il ait pu |
| nous pûmes | nous eûmes pu | que nous ayons pu |
| vous pûtes | vous eûtes pu | que vous ayez pu |
| ils purent | ils eurent pu | qu'ils aient pu |

| **futur** ** | **futur antérieur** | **plus-que-parfait** |
|---|---|---|
| je pourrai | j'aurai pu | que j'eusse pu |
| tu pourras | tu auras pu | que tu eusses pu |
| il pourra | il aura pu | qu'il eût pu |
| nous pourrons | nous aurons pu | que nous eussions pu |
| vous pourrez | vous aurez pu | que vous eussiez pu |
| ils pourront | ils auront pu | qu'ils eussent pu |

## PARTICIPE

PRÉSENT
pouvant
PASSÉ
pu
ayant pu

## IMPÉRATIF

LE VERBE

pouvoir n'a pas

d'impératif

## CONDITIONNEL

PRÉSENT **
je pourrais
tu pourrais
il pourrait
nous pourrions
vous pourriez
ils pourraient

PASSÉ 1ʳᵉ foRme
j'aurais pu
tu aurais pu
il aurait pu
nous aurions pu
vous auriez pu
ils auraient pu

PASSÉ 2ᵉ foRme
j'eusse pu
tu eusses pu
il eût pu
nous eussions pu
vous eussiez pu
ils eussent pu

* On dira indifféremment « je peux » ou « je puis » (cette dernière formule étant plus « distinguée »), mais en tournure interrogative, il faut dire « puis-je ? ».

** Notez le doublement du « r » au futur et au conditionnel présent ; contrairement à celui de COURIR ou de MOURIR, il ne se prononce pas car il n'existe ici aucun risque de confusion avec un autre temps.

| N° 36 VOULOIR | INFINITIF |
|---|---|
| **verbe du 3e groupe** | **présent** vouloir **passé** avoir voulu |

| INDICATIF | | SUBJONCTIF |
|---|---|---|

**présent**
je veux
tu veux
il veut
nous voulons
vous voulez
ils veulent

**passé composé**
j'ai voulu
tu as voulu
il a voulu
nous avons voulu
vous avez voulu
ils ont voulu

**présent**
que je veuille
que tu veuilles
qu'il veuille
que nous voulions *
que vous vouliez *
qu'ils veuillent

**imparfait**
je voulais
tu voulais
il voulait
nous voulions
vous vouliez
ils voulaient

**plus-que-parfait**
j'avais voulu
tu avais voulu
il avait voulu
nous avions voulu
vous aviez voulu
ils avaient voulu

**imparfait**
que je voulusse
que tu voulusses
qu'il voulût
que nous voulussions
que vous voulussiez
qu'ils voulussent

**passé simple**
je voulus
tu voulus
il voulut
nous voulûmes
vous voulûtes
ils voulurent

**passé antérieur**
j'eus voulu
tu eus voulu
il eut voulu
nous eûmes voulu
vous eûtes voulu
ils eurent voulu

**passé**
que j'aie voulu
que tu aies voulu
qu'il ait voulu
que nous ayons voulu
que vous ayez voulu
qu'ils aient voulu

**futur**
je voudrai
tu voudras
il voudra
nous voudrons
vous voudrez
ils voudront

**futur antérieur**
j'aurai voulu
tu auras voulu
il aura voulu
nous aurons voulu
vous aurez voulu
ils auront voulu

**plus-que-parfait**
que j'eusse voulu
que tu eusses voulu
qu'il eût voulu
que nous eussions voulu
que vous eussiez voulu
qu'ils eussent voulu

## PARTICIPE

**PRÉSENT**
voulant

**PASSÉ**
voulu, voulue
ayant voulu

## IMPÉRATIF

**PRÉSENT** \*\*
veuille, veuillons,
veuillez ou veux,
voulons, voulez

**PASSÉ**
aie, ayons, ayez voulu

## CONDITIONNEL

**PRÉSENT**
je voudrais
tu voudrais
il voudrait
nous voudrions
vous voudriez
ils voudraient

**PASSÉ 1ʳᵉ FORME**
j'aurais voulu
tu aurais voulu
il aurait voulu
nous aurions voulu
vous auriez voulu
ils auraient voulu

**PASSÉ 2ᵉ FORME**
j'eusse voulu
tu eusses voulu
il eût voulu
nous eussions voulu
vous eussiez voulu
ils eussent voulu

\* Il existe aussi les formes archaïques du subjonctif présent « que nous veuillions, que vous veuilliez ».

\*\* Les formes de l'impératif présent « veux, voulons, voulez » sont surtout utilisées en tournure négative (ne m'en veux pas).

⇨ Dans la tournure pronominale particulière « s'en vouloir », le participe passé est toujours invariable : elle s'en est longtemps voulu (mais on dira elle s'est voulue irréprochable).

## N° 37

# DEVOIR

VERBE DU 3ᴱ GROUPE

### INFINITIF

PRÉSENT
devoir

PASSÉ
avoir dû

### INDICATIF

| PRÉSENT | PASSÉ COMPOSÉ |
|---|---|
| je dois | j'ai dû |
| tu dois | tu as dû |
| il doit | il a dû |
| nous devons | nous avons dû |
| vous devez | vous avez dû |
| ils doivent | ils ont dû |

| IMPARFAIT | PLUS-QUE-PARFAIT |
|---|---|
| je devais | j'avais dû |
| tu devais | tu avais dû |
| il devait | il avait dû |
| nous devions | nous avions dû |
| vous deviez | vous aviez dû |
| ils devaient | ils avaient dû |

| PASSÉ SIMPLE | PASSÉ ANTÉRIEUR |
|---|---|
| je dus | j'eus dû |
| tu dus | tu eus dû |
| il dut | il eut dû |
| nous dûmes | nous eûmes dû |
| vous dûtes | vous eûtes dû |
| ils durent | ils eurent dû |

| FUTUR | FUTUR ANTÉRIEUR |
|---|---|
| je devrai | j'aurai dû |
| tu devras | tu auras dû |
| il devra | il aura dû |
| nous devrons | nous aurons dû |
| vous devrez | vous aurez dû |
| ils devront | ils auront dû |

### SUBJONCTIF

PRÉSENT
que je doive
que tu doives
qu'il doive
que nous devions
que vous deviez
qu'ils doivent

IMPARFAIT
que je dusse
que tu dusses
qu'il dût
que nous dussions
que vous dussiez
qu'ils dussent

PASSÉ
que j'aie dû
que tu aies dû
qu'il ait dû
que nous ayons dû
que vous ayez dû
qu'ils aient dû

PLUS-QUE-PARFAIT
que j'eusse dû
que tu eusses dû
qu'il eût dû
que nous eussions dû
que vous eussiez dû
qu'ils eussent dû

## PARTICIPE

PRÉSENT
devant

PASSÉ *
dû, due
ayant dû

## IMPÉRATIF **

PRÉSENT
dois
devons, devez

PASSÉ
aie dû
ayons dû, ayez dû

## CONDITIONNEL

PRÉSENT
je devrais
tu devrais
il devrait
nous devrions
vous devriez
ils devraient

PASSÉ 1ʳᵉ FORME
j'aurais dû
tu aurais dû
il aurait dû
nous aurions dû
vous auriez dû
ils auraient dû

PASSÉ 2ᵉ FORME
j'eusse dû
tu eusses dû
il eût dû
nous eussions dû
vous eussiez dû
ils eussent dû

Même conjugaison pour:
REDEVOIR.

* Noter l'accent circonflexe du participe passé masculin singulier (« dû »; « redû »), qui évite la confusion avec l'article « du ». Mais on écrira « due, dus, dues » et « redue, redus, redues ».

** L'impératif est rarement utilisé.

| N° 38 | INFINITIF |
|---|---|
| **SAVOIR**<br><br>verbe du 3ᵉ groupe | **présent**<br>savoir<br><br>**passé**<br>avoir su |

| INDICATIF | | SUBJONCTIF |
|---|---|---|
| **présent**<br>je sais<br>tu sais<br>il sait<br>nous savons<br>vous savez<br>ils savent | **passé composé**<br>j'ai su<br>tu as su<br>il a su<br>nous avons su<br>vous avez su<br>ils ont su | **présent**<br>que je sache<br>que tu saches<br>qu'il sache<br>que nous sachions<br>que vous sachiez<br>qu'ils sachent |
| **imparfait**<br>je savais<br>tu savais<br>il savait<br>nous savions<br>vous saviez<br>ils savaient | **plus-que-parfait**<br>j'avais su<br>tu avais su<br>il avait su<br>nous avions su<br>vous aviez su<br>ils avaient su | **imparfait**<br>que je susse<br>que tu susses<br>qu'il sût<br>que nous sussions<br>que vous sussiez<br>qu'ils sussent |
| **passé simple**<br>je sus<br>tu sus<br>il sut<br>nous sûmes<br>vous sûtes<br>ils surent | **passé antérieur**<br>j'eus su<br>tu eus su<br>il eut su<br>nous eûmes su<br>vous eûtes su<br>ils eurent su | **passé**<br>que j'aie su<br>que tu aies su<br>qu'il ait su<br>que nous ayons su<br>que vous ayez su<br>qu'ils aient su |
| **futur**<br>je saurai<br>tu sauras<br>il saura<br>nous saurons<br>vous saurez<br>ils sauront | **futur antérieur**<br>j'aurai su<br>tu auras su<br>il aura su<br>nous aurons su<br>vous aurez su<br>ils auront su | **plus-que-parfait**<br>que j'eusse su<br>que tu eusses su<br>qu'il eût su<br>que nous eussions su<br>que vous eussiez su<br>qu'ils eussent su |

LA CONJUGAISON DE TOUS LES VERBES – 165

## PARTICIPE

PRÉSENT
sachant

PASSÉ
su, sue
ayant su

## IMPÉRATIF

PRÉSENT
sache
sachons, sachez

PASSÉ
aie su
ayons su, ayez su

## CONDITIONNEL

PRÉSENT
je saurais
tu saurais
il saurait
nous saurions
vous sauriez
ils sauraient

PASSÉ 1ʳᵉ FORME
j'aurais su
tu aurais su
il aurait su
nous aurions su
vous auriez su
ils auraient su

PASSÉ 2ᵉ FORME
j'eusse su
tu eusses su
il eût su
nous eussions su
vous eussiez su
ils eussent su

⇨ SAVOIR, employé en tournure négative du conditionnel, peut prendre le sens atténué de « pouvoir » : je ne saurais vous le dire.

Dans l'expression « je ne sache pas », le subjonctif se substitue à l'indicatif pour atténuer la netteté d'une affirmation (je ne sache pas qu'il ait demandé cela).

Ce subjonctif d'atténuation se retrouve dans la locution « que je sache », employée en fin de phrase pour ponctuer un propos ou pour indiquer que l'on est pas certain de sa réalité (tu es parti satisfait, que je sache ; elle ne l'a pas revu, que je sache…).

| N° 39 | INFINITIF |
|---|---|
| **POURVOIR**<br><br>verbe du 3e groupe | **présent**<br>pourvoir<br><br>**passé**<br>avoir pourvu |

| INDICATIF | | SUBJONCTIF |
|---|---|---|

| **présent** | **passé composé** | **présent** |
|---|---|---|
| je pourvois | j'ai pourvu | que je pourvoie |
| tu pourvois | tu as pourvu | que tu pourvoies |
| il pourvoit | il a pourvu | qu'il pourvoie |
| nous pourvoyons | nous avons pourvu | que nous pourvoyions * |
| vous pourvoyez | vous avez pourvu | que vous pourvoyiez * |
| ils pourvoient | ils ont pourvu | qu'ils pourvoient |

| **imparfait** | **plus-que-parfait** | **imparfait** |
|---|---|---|
| je pourvoyais | j'avais pourvu | que je pourvusse |
| tu pourvoyais | tu avais pourvu | que tu pourvusses |
| il pourvoyait | il avait pourvu | qu'il pourvût |
| nous pourvoyions * | nous avions pourvu | que nous pourvussions |
| vous pourvoyiez * | vous aviez pourvu | que vous pourvussiez |
| ils pourvoyaient | ils avaient pourvu | qu'ils pourvussent |

| **passé simple** | **passé antérieur** | **passé** |
|---|---|---|
| je pourvus | j'eus pourvu | que j'aie pourvu |
| tu pourvus | tu eus pourvu | que tu aies pourvu |
| il pourvut | il eut pourvu | qu'il ait pourvu |
| nous pourvûmes | nous eûmes pourvu | que nous ayons pourvu |
| vous pourvûtes | vous eûtes pourvu | que vous ayez pourvu |
| ils pourvurent | ils eurent pourvu | qu'ils aient pourvu |

| **futur** | **futur antérieur** | **plus-que-parfait** |
|---|---|---|
| je pourvoirai | j'aurai pourvu | que j'eusse pourvu |
| tu pourvoiras | tu auras pourvu | que tu eusses pourvu |
| il pourvoira | il aura pourvu | qu'il eût pourvu |
| nous pourvoirons | nous aurons pourvu | que nous eussions pourvu |
| vous pourvoirez | vous aurez pourvu | que vous eussiez pourvu |
| ils pourvoiront | ils auront pourvu | qu'ils eussent pourvu |

## PARTICIPE

PRÉSENT
pourvoyant

PASSÉ
pourvu, pourvue
ayant pourvu

## IMPÉRATIF

PRÉSENT
pourvois
pourvoyons, -voyez

PASSÉ
aie pourvu
ayons, ayez pourvu

## CONDITIONNEL

PRÉSENT
je pourvoirais
tu pourvoirais
il pourvoirait
nous pourvoirions
vous pourvoiriez
ils pourvoiraient

PASSÉ 1ʳᵉ FORME
j'aurais pourvu
tu aurais pourvu
il aurait pourvu
nous aurions pourvu
vous auriez pourvu
ils auraient pourvu

PASSÉ 2ᵉ FORME
j'eusse pourvu
tu eusses pourvu
il eût pourvu
nous eussions pourvu
vous eussiez pourvu
ils eussent pourvu

⇨ POURVOIR se conjugue comme VOIR, sauf au futur, au conditionnel présent, au passé simple et au subjonctif imparfait.

\* Attention au « yi » à la 1ʳᵉ et à la 2ᵉ personne du pluriel à l'imparfait de l'indicatif et au présent du subjonctif.

# N° 40

## VALOIR

verbe du 3e groupe

### INFINITIF

**présent**
valoir

**passé**
avoir valu

### INDICATIF

| **présent** | **passé composé** |
|---|---|
| je vaux | j'ai valu |
| tu vaux | tu as valu |
| il vaut | il a valu |
| nous valons | nous avons valu |
| vous valez | vous avez valu |
| ils valent | ils ont valu |

| **imparfait** | **plus-que-parfait** |
|---|---|
| je valais | j'avais valu |
| tu valais | tu avais valu |
| il valait | il avait valu |
| nous valions | nous avions valu |
| vous valiez | vous aviez valu |
| ils valaient | ils avaient valu |

| **passé simple** | **passé antérieur** |
|---|---|
| je valus | j'eus valu |
| tu valus | tu eus valu |
| il valut | il eut valu |
| nous valûmes | nous eûmes valu |
| vous valûtes | vous eûtes valu |
| ils valurent | ils eurent valu |

| **futur** | **futur antérieur** |
|---|---|
| je vaudrai | j'aurai valu |
| tu vaudras | tu auras valu |
| il vaudra | il aura valu |
| nous vaudrons | nous aurons valu |
| vous vaudrez | vous aurez valu |
| ils vaudront | ils auront valu |

### SUBJONCTIF

**présent**
que je vaille
que tu vailles
qu'il vaille
que nous valions
que vous valiez
qu'ils vaillent

**imparfait**
que je valusse
que tu valusses
qu'il valût
que nous valussions
que vous valussiez
qu'ils valussent

**passé**
que j'aie valu
que tu aies valu
qu'il ait valu
que nous ayons valu
que vous ayez valu
qu'ils aient valu

**plus-que-parfait**
que j'eusse valu
que tu eusses valu
qu'il eût valu
que nous eussions valu
que vous eussiez valu
qu'ils eussent valu

## PARTICIPE

PRÉSENT
valant

PASSÉ
valu, value
ayant valu

## IMPÉRATIF

PRÉSENT
vaux
valons, valez

PASSÉ
aie valu
ayons valu, ayez valu

## CONDITIONNEL

PRÉSENT
je vaudrais
tu vaudrais
il vaudrait
nous vaudrions
vous vaudriez
ils vaudraient

PASSÉ 1ʳᵉ FORME
j'aurais valu
tu aurais valu
il aurait valu
nous aurions valu
vous auriez valu
ils auraient valu

PASSÉ 2ᵉ FORME
j'eusse valu
tu eusses valu
il eût valu
nous eussions valu
vous eussiez valu
ils eussent valu

Même conjugaison pour : REVALOIR.

✓ PRÉVALOIR suit la même conjugaison sauf au subjonctif présent, où il fait :
« que je prévale
que tu prévales
qu'il prévale
que nous prévalions
que vous prévaliez
qu'ils prévalent ».

Son participe passé, « prévalu », est invariable, sauf en conjugaison pronominale (elle s'est prévalue).

✓ ÉQUIVALOIR suit la même conjugaison, mais son participe passé, « équivalu », est invariable.

# N° 41

# ASSEOIR

### verbe du 3e groupe

## INFINITIF

**présent**
asseoir

**passé**
avoir assis

## INDICATIF

**présent**
j'assieds
tu assieds
il assied
nous asseyons
vous asseyez
ils asseyent

**ou**
j'assois
tu assois
il assoit
nous assoyons
vous assoyez
ils assoient

**imparfait**
j'asseyais
tu asseyais
il asseyait
nous asseyions *
vous asseyiez *
ils asseyaient

**ou**
j'assoyais
tu assoyais
il assoyait
nous assoyions *
vous assoyiez *
ils assoyaient

**futur**
j'assiérai
tu assiéras
il assiéra
nous assiérons
vous assiérez
ils assiéront

**ou**
j'assoirai
tu assoiras
il assoira
nous assoirons
vous assoirez
ils assoiront

**passé simple**
j'assis
tu assis
il assit
nous assîmes
vous assîtes
ils assirent

**passé composé**
j'ai assis
tu as assis
il a assis
nous avons assis
vous avez assis
ils ont assis

## PARTICIPE

**présent**
asseyant
ou assoyant
**passé**
assis, assise
ayant assis

**plus-que-parfait**
j'avais assis
tu avais assis
il avait assis
nous avions assis
vous aviez assis
ils avaient assis

**passé antérieur**
j'eus assis
tu eus assis
il eut assis
nous eûmes assis
vous eûtes assis
ils eurent assis

**futur antérieur**
j'aurai assis
tu auras assis
il aura assis
nous aurons assis
vous aurez assis
ils auront assis

| SUBJONCTIF | | CONDITIONNEL |
|---|---|---|
| PRÉSENT | PLUS-QUE-PARFAIT | PRÉSENT |
| que j'asseye | que j'eusse assis | j'assiérais |
| que tu asseyes | que tu eusses assis | tu assiérais |
| qu'il asseye | qu'il eût assis | il assiérait |
| que nous asseyions * | que nous eussions assis | nous assiérions |
| que vous asseyiez * | que vous eussiez assis | vous assiériez |
| qu'ils asseyent | qu'ils eussent assis | ils assiéraient |
| | | |
| OU | | OU |
| que j'assoie | **IMPÉRATIF** | j'assoirais |
| que tu assoies | | tu assoirais |
| qu'il assoie | PRÉSENT | il assoirait |
| que nous assoyions * | assieds | nous assoirions |
| que vous assoyiez * | asseyons, asseyez | vous assoiriez |
| qu'ils assoient | OU | ils assoiraient |
| | assois | |
| IMPARFAIT | assoyons, assoyez | PASSÉ 1re FORME |
| que j'assisse | PASSÉ | j'aurais assis |
| que tu assisses | aie assis | tu aurais assis |
| qu'il assît | ayons assis, ayez assis | il aurait assis |
| que nous assissions | | nous aurions assis |
| que vous assissiez | | vous auriez assis |
| qu'ils assissent | | ils auraient assis |
| | | |
| PASSÉ | | PASSÉ 2e FORME |
| que j'aie assis | | j'eusse assis |
| que tu aies assis | | tu eusses assis |
| qu'il ait assis | | il eût assis |
| que nous ayons assis | | nous eussions assis |
| que vous ayez assis | | vous eussiez assis |
| qu'ils aient assis | | ils eussent assis |

Même conjugaison pour : RASSEOIR.

* Attention au « yi » à la 1re et à la 2e personne du pluriel de l'indicatif imparfait et du subjonctif présent.

⇨ Noter, dans la conjugaison en « oi », la disparition du « e » de l'infinitif (j'assois, il assoyait, nous assoirons, qu'il assoie…).

✓SEOIR et MESSEOIR : voir leurs tableaux pages suivantes.

# ✓ SEOIR

Verbe défectif, il connaît deux conjugaisons, selon son sens.

1) Au sens de « être assis, être situé », SEOIR ne s'emploie qu'au participe présent, « séant », et au participe passé, « sis, sise ».

2) Au sens de « convenir, aller », SEOIR ne se conjugue pas aux temps composés et ne s'emploie qu'au participe présent, « seyant » ou « séant », et aux 3[es] personnes des temps suivants:

## INDICATIF

| PRÉSENT | IMPARFAIT | FUTUR |
|---|---|---|
| il sied | il seyait | il siéra |
| ils siéent | ils seyaient | ils siéront |

## SUBJONCTIF / CONDITIONNEL

| SUBJONCTIF | CONDITIONNEL |
|---|---|
| PRÉSENT | PRÉSENT |
| qu'il siée | il siérait |
| qu'ils siéent | ils siéraient |

## ✓ MESSEOIR

Verbe défectif signifiant « ne pas convenir ; n'être pas convenable », il se conjugue aux mêmes temps que SEOIR (au sens 2, de « convenir, aller ») :

### INDICATIF

| PRÉSENT | IMPARFAIT | FUTUR |
|---|---|---|
| il messied | il messeyait | il messiéra |
| ils messiéent | ils messeyaient | ils messiéront |

| SUBJONCTIF | CONDITIONNEL | PARTICIPE |
|---|---|---|
| PRÉSENT | PRÉSENT | PRÉSENT |
| qu'il messiée | il messiérait | messéant |
| qu'ils messiéent | ils messiéraient | |

| N° 42 | INFINITIF |
|---|---|
| **SURSEOIR** | **PRÉSENT** surseoir |
| VERBE DU 3E GROUPE | **PASSÉ** avoir sursis |

| INDICATIF | | SUBJONCTIF |
|---|---|---|
| **PRÉSENT** je sursois tu sursois il sursoit nous sursoyons vous sursoyez ils sursoient | **PASSÉ COMPOSÉ** j'ai sursis tu as sursis il a sursis nous avons sursis vous avez sursis ils ont sursis | **PRÉSENT** que je sursoie que tu sursoies qu'il sursoie que nous sursoyions * que vous sursoyiez * qu'ils sursoient |
| **IMPARFAIT** je sursoyais tu sursoyais il sursoyait nous sursoyions * vous sursoyiez * ils sursoyaient | **PLUS-QUE-PARFAIT** j'avais sursis tu avais sursis il avait sursis nous avions sursis vous aviez sursis ils avaient sursis | **IMPARFAIT** que je sursisse que tu sursisses qu'il sursît que nous sursissions que vous sursissiez qu'ils sursissent |
| **PASSÉ SIMPLE** je sursis tu sursis il sursit nous sursîmes vous sursîtes ils sursirent | **PASSÉ ANTÉRIEUR** j'eus sursis tu eus sursis il eut sursis nous eûmes sursis vous eûtes sursis ils eurent sursis | **PASSÉ** que j'aie sursis que tu aies sursis qu'il ait sursis que nous ayons sursis que vous ayez sursis qu'ils aient sursis |
| **FUTUR** je surseoirai tu surseoiras il surseoira nous surseoirons vous surseoirez ils surseoiront | **FUTUR ANTÉRIEUR** j'aurai sursis tu auras sursis il aura sursis nous aurons sursis vous aurez sursis ils auront sursis | **PLUS-QUE-PARFAIT** que j'eusse sursis que tu eusses sursis qu'il eût sursis que nous eussions sursis que vous eussiez sursis qu'ils eussent sursis |

## PARTICIPE

PRÉSENT
sursoyant

PASSÉ
sursis, sursise
ayant sursis

## IMPÉRATIF

PRÉSENT
sursois
sursoyons, sursoyez

PASSÉ
aie sursis
ayons, ayez sursis

## CONDITIONNEL

PRÉSENT
je surseoirais
tu surseoirais
il surseoirait
nous surseoirions
vous surseoiriez
ils surseoiraient

PASSÉ 1ʳᵉ FORME
j'aurais sursis
tu aurais sursis
il aurait sursis
nous aurions sursis
vous auriez sursis
ils auraient sursis

PASSÉ 2ᵉ FORME
j'eusse sursis
tu eusses sursis
il eût sursis
nous eussions sursis
vous eussiez sursis
ils eussent sursis

⇨ SURSEOIR se conjugue comme ASSEOIR dans ses formes en « oi », mais il garde le « e » de l'infinitif au futur et au conditionnel présent (« je surseoirai, je surseoirais... »).

\* Attention au « yi » à la 1ʳᵉ et à la 2ᵉ personne du pluriel à l'imparfait de l'indicatif et au présent du subjonctif.

| N° 43 | INFINITIF |
|---|---|
| **MOUVOIR** | **PRÉSENT** <br> mouvoir <br><br> **PASSÉ** <br> avoir mû |
| verbe du 3e groupe | |

| INDICATIF | | SUBJONCTIF |
|---|---|---|
| **PRÉSENT** <br> je meus <br> tu meus <br> il meut <br> nous mouvons <br> vous mouvez <br> ils meuvent | **PASSÉ COMPOSÉ** <br> j'ai mû <br> tu as mû <br> il a mû <br> nous avons mû <br> vous avez mû <br> ils ont mû | **PRÉSENT** <br> que je meuve <br> que tu meuves <br> qu'il meuve <br> que nous mouvions <br> que vous mouviez <br> qu'ils meuvent |
| **IMPARFAIT** <br> je mouvais <br> tu mouvais <br> il mouvait <br> nous mouvions <br> vous mouviez <br> ils mouvaient | **PLUS-QUE-PARFAIT** <br> j'avais mû <br> tu avais mû <br> il avait mû <br> nous avions mû <br> vous aviez mû <br> ils avaient mû | **IMPARFAIT** <br> que je musse <br> que tu musses <br> qu'il mût <br> que nous mussions <br> que vous mussiez <br> qu'ils mussent |
| **PASSÉ SIMPLE** <br> je mus <br> tu mus <br> il mut <br> nous mûmes <br> vous mûtes <br> ils murent | **PASSÉ ANTÉRIEUR** <br> j'eus mû <br> tu eus mû <br> il eut mû <br> nous eûmes mû <br> vous eûtes mû <br> ils eurent mû | **PASSÉ** <br> que j'aie mû <br> que tu aies mû <br> qu'il ait mû <br> que nous ayons mû <br> que vous ayez mû <br> qu'ils aient mû |
| **FUTUR** <br> je mouvrai <br> tu mouvras <br> il mouvra <br> nous mouvrons <br> vous mouvrez <br> ils mouvront | **FUTUR ANTÉRIEUR** <br> j'aurai mû <br> tu auras mû <br> il aura mû <br> nous aurons mû <br> vous aurez mû <br> ils auront mû | **PLUS-QUE-PARFAIT** <br> que j'eusse mû <br> que tu eusses mû <br> qu'il eût mû <br> que nous eussions mû <br> que vous eussiez mû <br> qu'ils eussent mû |

## PARTICIPE

PRÉSENT
mouvant

PASSÉ *
mû, mue
ayant mû

## IMPÉRATIF

PRÉSENT
meus
mouvons, mouvez

PASSÉ
aie mû
ayons mû, ayez mû

## CONDITIONNEL

PRÉSENT
je mouvrais
tu mouvrais
il mouvrait
nous mouvrions
vous mouvriez
ils mouvraient

PASSÉ 1ʳᵉ FORME
j'aurais mû
tu aurais mû
il aurait mû
nous aurions mû
vous auriez mû
ils auraient mû

PASSÉ 2ᵉ FORME
j'eusse mû
tu eusses mû
il eût mû
nous eussions mû
vous eussiez mû
ils eussent mû

\* Noter l'accent circonflexe du participe passé masculin « mû » ; mais on écrira « mue, mus, mues ».

✓ ÉMOUVOIR se conjugue comme MOUVOIR, mais son participe passé masculin singulier ne prend pas d'accent circonflexe : « ému, émue (émus, émues) ».

✓ PROMOUVOIR se conjugue comme MOUVOIR, mais son participe passé masculin singulier ne prend pas d'accent circonflexe : « promu, promue (promus, promues) ».

Ce verbe est surtout employé à l'infinitif, au participe présent et aux temps composés.

| N° 44 FALLOIR verbe du 3e groupe | | INFINITIF |
|---|---|---|
| | | PRÉSENT falloir |
| | | PASSÉ avoir fallu |
| **INDICATIF** | | **SUBJONCTIF** |
| PRÉSENT il faut | PASSÉ COMPOSÉ il a fallu | PRÉSENT qu'il faille |
| IMPARFAIT il fallait | PLUS-QUE-PARFAIT il avait fallu | IMPARFAIT qu'il fallût |
| PASSÉ SIMPLE il fallut | PASSÉ ANTÉRIEUR il eut fallu | PASSÉ qu'il ait fallu |
| FUTUR il faudra | FUTUR ANTÉRIEUR il aura fallu | PLUS-QUE-PARFAIT qu'il eût fallu |
| **IMPÉRATIF** | **PARTICIPE** | **CONDITIONNEL** |
| PAS d'impératif | PAS DE PARTICIPE PRÉSENT | PRÉSENT il faudrait |
| | | PASSÉ 1re FORME il aurait fallu |
| | PASSÉ fallu ayant fallu | PASSÉ 2e FORME il eût fallu |

⇨ Les expressions il s'en faut de, tant s'en faut, peu s'en faut ont le sens du verbe **faillir** (n° 28) mais se conjuguent sur ce modèle de **falloir** (il s'en est fallu de peu).

| N° 45                                    | INFINITIF                          |                                    |
|------------------------------------------|------------------------------------|------------------------------------|
| **PLEUVOIR**                             | PRÉSENT<br>pleuvoir                |                                    |
| VERBE DU 3ᴱ GROUPE                       | PASSÉ<br>avoir plu                 |                                    |

| INDICATIF | | SUBJONCTIF |
|---|---|---|
| PRÉSENT<br>il pleut | PASSÉ COMPOSÉ<br>il a plu | PRÉSENT<br>qu'il pleuve |
| IMPARFAIT<br>il pleuvait | PLUS-QUE-PARFAIT<br>il avait plu | IMPARFAIT<br>qu'il plût |
| PASSÉ SIMPLE<br>il plut | PASSÉ ANTÉRIEUR<br>il eut plu | PASSÉ<br>qu'il ait plu |
| FUTUR<br>il pleuvra | FUTUR ANTÉRIEUR<br>il aura plu | PLUS-QUE-PARFAIT<br>qu'il eût plu |

| INDICATIF | PARTICIPE | CONDITIONNEL |
|---|---|---|
| PAS<br>d'IMPÉRATIF | PRÉSENT<br>pleuvant | PRÉSENT<br>il pleuvrait |
| | PASSÉ<br>plu<br>ayant plu | PASSÉ 1ʳᵉ FORME<br>il aurait plu |
| | | PASSÉ 2ᵉ FORME<br>il eût plu |

⇨ Ce verbe impersonnel peut s'employer à la 3ᵉ personne du pluriel dans un sens figuré :
les balles, les injures pleuvent, pleuvaient, plurent...

| N° 46 DÉCHOIR VERBE du 3ᴱ GROUPE | INFINITIF |
|---|---|
| | **PRÉSENT**<br>déchoir<br><br>**PASSÉ \***<br>avoir déchu<br>(ou être déchu [e]) |

| INDICATIF | | SUBJONCTIF |
|---|---|---|
| **PRÉSENT**<br>je déchois<br>tu déchois<br>il déchoit<br>nous déchoyons<br>vous déchoyez<br>ils déchoient | **PASSÉ COMPOSÉ**<br>j'ai déchu<br>tu as déchu<br>il a déchu<br>nous avons déchu<br>vous avez déchu<br>ils ont déchu | **PRÉSENT**<br>que je déchoie<br>que tu déchoies<br>qu'il déchoie<br>que nous déchoyions \*\*<br>que vous déchoyiez \*\*<br>qu'ils déchoient |
| **PASSÉ SIMPLE**<br>je déchus<br>tu déchus<br>il déchut<br>nous déchûmes<br>vous déchûtes<br>ils déchurent | **PLUS-QUE-PARFAIT**<br>j'avais déchu<br>tu avais déchu<br>il avait déchu<br>nous avions déchu<br>vous aviez déchu<br>ils avaient déchu | **IMPARFAIT**<br>que je déchusse<br>que tu déchusses<br>qu'il déchût<br>que nous déchussions<br>que vous déchussiez<br>qu'ils déchussent |
| **FUTUR**<br>je déchoirai<br>tu déchoiras<br>il déchoira<br>nous déchoirons<br>vous déchoirez<br>ils déchoiront | **PASSÉ ANTÉRIEUR**<br>j'eus déchu<br>tu eus déchu<br>il eut déchu<br>nous eûmes déchu<br>vous eûtes déchu<br>ils eurent déchu | **PASSÉ**<br>que j'aie déchu<br>que tu aies déchu<br>qu'il ait déchu<br>que nous ayons déchu<br>que vous ayez déchu<br>qu'ils aient déchu |
| **OU**<br>je décherrai<br>tu décherras<br>il décherra<br>nous décherrons<br>vous décherrez<br>ils décherront | **FUTUR ANTÉRIEUR**<br>j'aurai déchu<br>tu auras déchu<br>il aura déchu<br>nous aurons déchu<br>vous aurez déchu<br>ils auront déchu | **PLUS-QUE-PARFAIT**<br>que j'eusse déchu<br>que tu eusses déchu<br>qu'il eût déchu<br>que nous eussions déchu<br>que vous eussiez déchu<br>qu'ils eussent déchu |

| PARTICIPE | CONDITIONNEL | |
|---|---|---|
| **PAS DE PARTICIPE PRÉSENT** | **PRÉSENT** je déchoirais tu déchoirais il déchoirait nous déchoirions vous déchoiriez ils déchoiraient | **PASSÉ 1ʳᵉ FORME** j'aurais déchu tu aurais déchu il aurait déchu nous aurions déchu vous auriez déchu ils auraient déchu |
| **PASSÉ** déchu, déchue ayant déchu (ou étant déchu[e]) | | |
| **IMPÉRATIF** | **OU** je décherrais tu décherrais il décherrait nous décherrions vous décherriez ils décherraient | **PASSÉ 2ᵉ FORME** j'eusse déchu tu eusses déchu il eût déchu nous eussions déchu vous eussiez déchu ils eussent déchu |
| **PRÉSENT** déchois déchoyons, déchoyez **PASSÉ** aie déchu ayons, ayez déchu | | |

**déchoir** est un verbe défectif : il n'a ni indicatif imparfait ni participe présent.

* Il se conjugue avec l'auxiliaire « être » ou l'auxiliaire « avoir » : sa gloire n'a pas déchu (emploi intransitif insistant sur l'action) ; sa gloire n'est pas déchue (emploi intransitif insistant sur le résultat) ; le roi a déchu son vassal (emploi transitif).
Par commodité, seules ont été données dans le tableau les formes conjuguées avec l'auxiliaire « avoir ».

** Attention au « yi » à la 1ʳᵉ et à la 2ᵉ personne du pluriel du subjonctif présent.

✓**choir** et **échoir** : voir les tableaux pages suivantes.

# ✓choir

Verbe défectif, il se conjugue essentiellement aux formes ci-dessous :

| INDICATIF | | PARTICIPE |
|---|---|---|
| **PRÉSENT** | **PASSÉ** | **PASSÉ** |
| choir | être chu(e) | chu, chue |
| | | étant chu(e) |

| INDICATIF | | |
|---|---|---|
| **PRÉSENT** | **PASSÉ SIMPLE** | **FUTUR** |
| je chois | je chus | je choirai |
| tu chois | il chut | il choira |
| il choit | ils churent | **OU** |
| ils choient | | je cherrai |
| | | il cherra |

| SUBJONCTIF | CONDITIONNEL | |
|---|---|---|
| **IMPARFAIT** | **PRÉSENT** | **OU** |
| qu'il chût | je choirais | je cherrais |
| | il choirait | il cherrait |

⇨ **CHOIR** s'emploie surtout aujourd'hui à l'infinitif avec les verbes semi-auxiliaires « laisser » ou « faire » (il m'a laissé choir).

# ✓échoir

Verbe défectif, il se conjugue essentiellement aux formes ci-dessous :

| INDICATIF | | PARTICIPE | |
|---|---|---|---|
| **PRÉSENT**<br>échoir | **PASSÉ**<br>être échu(e) | **PRÉSENT**<br>échéant | **PASSÉ**<br>échu, échue<br>étant échu(e) |

| INDICATIF | | | |
|---|---|---|---|
| **PRÉSENT**<br>il échoit<br>ils échoient | **IMPARFAIT**<br>il échoyait<br>ils échoyaient | **PASSÉ SIMPLE**<br>il échut<br>ils échurent | **FUTUR**<br>il échoira<br>ils échoiront |
| **OU**<br>il échet<br>ils échéent | **OU**<br>il échéait<br>ils échéaient | | **OU**<br>il écherra<br>ils écherront |

| SUBJONCTIF | | CONDITIONNEL | |
|---|---|---|---|
| **PRÉSENT**<br>qu'il échoie<br>qu'ils échoient | **IMPARFAIT**<br>qu'il échût<br>qu'ils échussent | **PRÉSENT**<br>il échoirait<br>ils échoiraient | **OU**<br>il écherrait<br>ils écherraient |

⇨ On notera que le verbe échoir ne se conjugue qu'aux 3es personnes et que, contrairement aux verbes **déchoir** et **choir**, il se rencontre parfois à l'imparfait et possède un participe présent.

⇨ On notera également les variantes du présent et de l'imparfait de l'indicatif, employées dans le langage juridique.

# N° 47

## ATTENDRE

### verbe du 3ᵉ groupe

### INFINITIF

**PRÉSENT**
attendre

**PASSÉ**
avoir attendu

### INDICATIF

| **PRÉSENT** | **PASSÉ COMPOSÉ** |
|---|---|
| j'attends | j'ai attendu |
| tu attends | tu as attendu |
| il attend | il a attendu |
| nous attendons | nous avons attendu |
| vous attendez | vous avez attendu |
| ils attendent | ils ont attendu |

| **IMPARFAIT** | **PLUS-QUE-PARFAIT** |
|---|---|
| j'attendais | j'avais attendu |
| tu attendais | tu avais attendu |
| il attendait | il avait attendu |
| nous attendions | nous avions attendu |
| vous attendiez | vous aviez attendu |
| ils attendaient | ils avaient attendu |

| **PASSÉ SIMPLE** | **PASSÉ ANTÉRIEUR** |
|---|---|
| j'attendis | j'eus attendu |
| tu attendis | tu eus attendu |
| il attendit | il eut attendu |
| nous attendîmes | nous eûmes attendu |
| vous attendîtes | vous eûtes attendu |
| ils attendirent | ils eurent attendu |

| **FUTUR** | **FUTUR ANTÉRIEUR** |
|---|---|
| j'attendrai | j'aurai attendu |
| tu attendras | tu auras attendu |
| il attendra | il aura attendu |
| nous attendrons | nous aurons attendu |
| vous attendrez | vous aurez attendu |
| ils attendront | ils auront attendu |

### SUBJONCTIF

**PRÉSENT**
que j'attende
que tu attendes
qu'il attende
que nous attendions
que vous attendiez
qu'ils attendent

**IMPARFAIT**
que j'attendisse
que tu attendisses
qu'il attendît
que nous attendissions
que vous attendissiez
qu'ils attendissent

**PASSÉ**
que j'aie attendu
que tu aies attendu
qu'il ait attendu
que nous ayons attendu
que vous ayez attendu
qu'ils aient attendu

**PLUS-QUE-PARFAIT**
que j'eusse attendu
que tu eusses attendu
qu'il eût attendu
que nous eussions attendu
que vous eussiez attendu
qu'ils eussent attendu

## PARTICIPE

**PRÉSENT**
attendant

**PASSÉ**
attendu, attendue
ayant attendu

## IMPÉRATIF

**PRÉSENT**
attends
attendons, attendez

**PASSÉ**
aie attendu
ayons, ayez attendu

## CONDITIONNEL

**PRÉSENT**
j'attendrais
tu attendrais
il attendrait
nous attendrions
vous attendriez
ils attendraient

**PASSÉ 1ʳᵉ FORME**
j'aurais attendu
tu aurais attendu
il aurait attendu
nous aurions attendu
vous auriez attendu
ils auraient attendu

**PASSÉ 2ᵉ FORME**
j'eusse attendu
tu eusses attendu
il eût attendu
nous eussions attendu
vous eussiez attendu
ils eussent attendu

Même conjugaison pour les verbes:
- en -ENDRE (sauf PRENDRE et ses composés, voir le tableau suivant, n° 48),
- en -ANDRE (ÉPANDRE, RÉPANDRE),
- en -ONDRE (FONDRE, RÉPONDRE...).

✓ CONDESCENDRE:
même conjugaison, mais le participe passé, « condescendu », est invariable.

✓ CORRESPONDRE:
même conjugaison, mais le participe passé, « correspondu », est invariable.

✓ FOUTRE, SE CONTREFOUTRE:
même conjugaison, mais le « t » de leur radical remplace le « d » (« foutu, contrefoutu... »).
Ce « t » disparaît aux deux 1ʳᵉˢ personnes du singulier de l'indicatif présent (« je fous, tu fous, je me contrefous, tu te contrefous ») et au singulier de l'impératif présent.

En outre, ces verbes sont inusités au passé simple et au passé antérieur de l'indicatif ainsi qu'à l'imparfait et au plus-que-parfait du subjonctif.

✓ RESSOUDRE: ce canadianisme (signifiant « sourdre, surgir, rebondir ») suit également cette conjugaison; son participe passé, invariable, est soit « ressoudu », soit « ressoud ».

# N° 48

# PRENDRE

### VERBE du 3ᵉ GROUPE

## INFINITIF

**PRÉSENT**
prendre

**PASSÉ**
avoir pris

## INDICATIF

| **PRÉSENT** | **PASSÉ COMPOSÉ** |
|---|---|
| je prends | j'ai pris |
| tu prends | tu as pris |
| il prend | il a pris |
| nous prenons | nous avons pris |
| vous prenez | vous avez pris |
| ils prennent | ils ont pris |

| **IMPARFAIT** | **PLUS-QUE-PARFAIT** |
|---|---|
| je prenais | j'avais pris |
| tu prenais | tu avais pris |
| il prenait | il avait pris |
| nous prenions | nous avions pris |
| vous preniez | vous aviez pris |
| ils prenaient | ils avaient pris |

| **PASSÉ SIMPLE** | **PASSÉ ANTÉRIEUR** |
|---|---|
| je pris | j'eus pris |
| tu pris | tu eus pris |
| il prit | il eut pris |
| nous prîmes | nous eûmes pris |
| vous prîtes | vous eûtes pris |
| ils prirent | ils eurent pris |

| **FUTUR** | **FUTUR ANTÉRIEUR** |
|---|---|
| je prendrai | j'aurai pris |
| tu prendras | tu auras pris |
| il prendra | il aura pris |
| nous prendrons | nous aurons pris |
| vous prendrez | vous aurez pris |
| ils prendront | ils auront pris |

## SUBJONCTIF

**PRÉSENT**
que je prenne
que tu prennes
qu'il prenne
que nous prenions
que vous preniez
qu'ils prennent

**IMPARFAIT**
que je prisse
que tu prisses
qu'il prît
que nous prissions
que vous prissiez
qu'ils prissent

**PASSÉ**
que j'aie pris
que tu aies pris
qu'il ait pris
que nous ayons pris
que vous ayez pris
qu'ils aient pris

**PLUS-QUE-PARFAIT**
que j'eusse pris
que tu eusses pris
qu'il eût pris
que nous eussions pris
que vous eussiez pris
qu'ils eussent pris

## PARTICIPE

PRÉSENT
prenant
PASSÉ
pris, prise
ayant pris

## IMPÉRATIF

PRÉSENT
prends
prenons, prenez
PASSÉ
aie pris
ayons pris, ayez pris

## CONDITIONNEL

PRÉSENT
je prendrais
tu prendrais
il prendrait
nous prendrions
vous prendriez
ils prendraient

PASSÉ 1re FORME
j'aurais pris
tu aurais pris
il aurait pris
nous aurions pris
vous auriez pris
ils auraient pris

PASSÉ 2e FORME
j'eusse pris
tu eusses pris
il eût pris
nous eussions pris
vous eussiez pris
ils eussent pris

Même conjugaison pour les composés de **PRENDRE**:
APPRENDRE, COMPRENDRE,
SE DÉPRENDRE, DÉSAPPRENDRE,
ENTREPRENDRE, S'ÉPRENDRE,
SE MÉPRENDRE, RÉAPPRENDRE,
REPRENDRE, SURPRENDRE.

# N° 49

# TORDRE

verbe du 3ᴱ groupe

## INFINITIF

PRÉSENT
tordre

PASSÉ
avoir tordu

## INDICATIF

PRÉSENT
je tords
tu tords
il tord
nous tordons
vous tordez
ils tordent

PASSÉ COMPOSÉ
j'ai tordu
tu as tordu
il a tordu
nous avons tordu
vous avez tordu
ils ont tordu

IMPARFAIT
je tordais
tu tordais
il tordait
nous tordions
vous tordiez
ils tordaient

PLUS-QUE-PARFAIT
j'avais tordu
tu avais tordu
il avait tordu
nous avions tordu
vous aviez tordu
ils avaient tordu

PASSÉ SIMPLE
je tordis
tu tordis
il tordit
nous tordîmes
vous tordîtes
ils tordirent

PASSÉ ANTÉRIEUR
j'eus tordu
tu eus tordu
il eut tordu
nous eûmes tordu
vous eûtes tordu
ils eurent tordu

FUTUR
je tordrai
tu tordras
il tordra
nous tordrons
vous tordrez
ils tordront

FUTUR ANTÉRIEUR
j'aurai tordu
tu auras tordu
il aura tordu
nous aurons tordu
vous aurez tordu
ils auront tordu

## SUBJONCTIF

PRÉSENT
que je torde
que tu tordes
qu'il torde
que nous tordions
que vous tordiez
qu'ils tordent

IMPARFAIT
que je tordisse
que tu tordisses
qu'il tordît
que nous tordissions
que vous tordissiez
qu'ils tordissent

PASSÉ
que j'aie tordu
que tu aies tordu
qu'il ait tordu
que nous ayons tordu
que vous ayez tordu
qu'ils aient tordu

PLUS-QUE-PARFAIT
que j'eusse tordu
que tu eusses tordu
qu'il eût tordu
que nous eussions tordu
que vous eussiez tordu
qu'ils eussent tordu

## PARTICIPE

PRÉSENT
tordant

PASSÉ
tordu, tordue
ayant tordu

## IMPÉRATIF

PRÉSENT
tords
tordons, tordez

PASSÉ
aie tordu
ayons, ayez tordu

## CONDITIONNEL

PRÉSENT
je tordrais
tu tordrais
il tordrait
nous tordrions
vous tordriez
ils tordraient

PASSÉ 1ʳᵉ FORME
j'aurais tordu
tu aurais tordu
il aurait tordu
nous aurions tordu
vous auriez tordu
ils auraient tordu

PASSÉ 2ᵉ FORME
j'eusse tordu
tu eusses tordu
il eût tordu
nous eussions tordu
vous eussiez tordu
ils eussent tordu

Même conjugaison pour:
**détordre, distordre, mordre, perdre, remordre, reperdre, retordre.**

✓ **démordre**: même conjugaison mais le participe passé « démordu » est invariable.

✓ **sourdre** ne se conjugue qu'à l'infinitif et à la 3ᵉ personne (singulier et pluriel) de l'indicatif présent et imparfait (« il sourd, ils sourdent », « il sourdait, ils sourdaient »).

| N° 50 | INFINITIF |
|---|---|
| **ROMPRE** | **présent**<br>rompre |
| verbe du 3e groupe | **passé**<br>avoir rompu |

| INDICATIF | | SUBJONCTIF |
|---|---|---|
| **présent**<br>je romps<br>tu romps<br>il rompt *<br>nous rompons<br>vous rompez<br>ils rompent | **passé composé**<br>j'ai rompu<br>tu as rompu<br>il a rompu<br>nous avons rompu<br>vous avez rompu<br>ils ont rompu | **présent**<br>que je rompe<br>que tu rompes<br>qu'il rompe<br>que nous rompions<br>que vous rompiez<br>qu'ils rompent |
| **imparfait**<br>je rompais<br>tu rompais<br>il rompait<br>nous rompions<br>vous rompiez<br>ils rompaient | **plus-que-parfait**<br>j'avais rompu<br>tu avais rompu<br>il avait rompu<br>nous avions rompu<br>vous aviez rompu<br>ils avaient rompu | **imparfait**<br>que je rompisse<br>que tu rompisses<br>qu'il rompît<br>que nous rompissions<br>que vous rompissiez<br>qu'ils rompissent |
| **passé simple**<br>je rompis<br>tu rompis<br>il rompit<br>nous rompîmes<br>vous rompîtes<br>ils rompirent | **passé antérieur**<br>j'eus rompu<br>tu eus rompu<br>il eut rompu<br>nous eûmes rompu<br>vous eûtes rompu<br>ils eurent rompu | **passé**<br>que j'aie rompu<br>que tu aies rompu<br>qu'il ait rompu<br>que nous ayons rompu<br>que vous ayez rompu<br>qu'ils aient rompu |
| **futur**<br>je romprai<br>tu rompras<br>il rompra<br>nous romprons<br>vous romprez<br>ils rompront | **futur antérieur**<br>j'aurai rompu<br>tu auras rompu<br>il aura rompu<br>nous aurons rompu<br>vous aurez rompu<br>ils auront rompu | **plus-que-parfait**<br>que j'eusse rompu<br>que tu eusses rompu<br>qu'il eût rompu<br>que nous eussions rompu<br>que vous eussiez rompu<br>qu'ils eussent rompu |

## PARTICIPE

PRÉSENT
rompant

PASSÉ
rompu, rompue
ayant rompu

## IMPÉRATIF

PRÉSENT
romps
rompons, rompez

PASSÉ
aie rompu
ayons, ayez rompu

## CONDITIONNEL

PRÉSENT
je romprais
tu romprais
il romprait
nous romprions
vous rompriez
ils rompraient

PASSÉ 1ʳᵉ FORME
j'aurais rompu
tu aurais rompu
il aurait rompu
nous aurions rompu
vous auriez rompu
ils auraient rompu

PASSÉ 2ᵉ FORME
j'eusse rompu
tu eusses rompu
il eût rompu
nous eussions rompu
vous eussiez rompu
ils eussent rompu

Même conjugaison pour:
CORROMPRE, INTERROMPRE.

* Noter le « pt » final à la 3ᵉ personne du singulier du présent de l'indicatif.

# N° 51

# PLAINDRE

verbe du 3e groupe

## INFINITIF

PRÉSENT
plaindre

PASSÉ
avoir plaint

## INDICATIF

| PRÉSENT | PASSÉ COMPOSÉ |
|---|---|
| je plains | j'ai plaint |
| tu plains | tu as plaint |
| il plaint | il a plaint |
| nous plaignons | nous avons plaint |
| vous plaignez | vous avez plaint |
| ils plaignent | ils ont plaint |

| IMPARFAIT | PLUS-QUE-PARFAIT |
|---|---|
| je plaignais | j'avais plaint |
| tu plaignais | tu avais plaint |
| il plaignait | il avait plaint |
| nous plaignions | nous avions plaint |
| vous plaigniez | vous aviez plaint |
| ils plaignaient | ils avaient plaint |

| PASSÉ SIMPLE | PASSÉ ANTÉRIEUR |
|---|---|
| je plaignis | j'eus plaint |
| tu plaignis | tu eus plaint |
| il plaignit | il eut plaint |
| nous plaignîmes | nous eûmes plaint |
| vous plaignîtes | vous eûtes plaint |
| ils plaignirent | ils eurent plaint |

| FUTUR | FUTUR ANTÉRIEUR |
|---|---|
| je plaindrai | j'aurai plaint |
| tu plaindras | tu auras plaint |
| il plaindra | il aura plaint |
| nous plaindrons | nous aurons plaint |
| vous plaindrez | vous aurez plaint |
| ils plaindront | ils auront plaint |

## SUBJONCTIF

PRÉSENT
que je plaigne
que tu plaignes
qu'il plaigne
que nous plaignions
que vous plaigniez
qu'ils plaignent

IMPARFAIT
que je plaignisse
que tu plaignisses
qu'il plaignît
que nous plaignissions
que vous plaignissiez
qu'ils plaignissent

PASSÉ
que j'aie plaint
que tu aies plaint
qu'il ait plaint
que nous ayons plaint
que vous ayez plaint
qu'ils aient plaint

PLUS-QUE-PARFAIT
que j'eusse plaint
que tu eusses plaint
qu'il eût plaint
que nous eussions plaint
que vous eussiez plaint
qu'ils eussent plaint

## PARTICIPE

PRÉSENT
plaignant
PASSÉ
plaint, plainte
ayant plaint

## IMPÉRATIF

PRÉSENT
plains
plaignons, plaignez
PASSÉ
aie plaint
ayons, ayez plaint

## CONDITIONNEL

PRÉSENT
je plaindrais
tu plaindrais
il plaindrait
nous plaindrions
vous plaindriez
ils plaindraient

PASSÉ 1ʳᵉ FORME
j'aurais plaint
tu aurais plaint
il aurait plaint
nous aurions plaint
vous auriez plaint
ils auraient plaint

PASSÉ 2ᵉ FORME
j'eusse plaint
tu eusses plaint
il eût plaint
nous eussions plaint
vous eussiez plaint
ils eussent plaint

Même conjugaison pour:
— les verbes en -AINDRE
(CRAINDRE, CONTRAINDRE),
— les verbes en -EINDRE
(ASTREINDRE, ATTEINDRE,
CEINDRE, EMPREINDRE,
ENFREINDRE, ÉTEINDRE,
FEINDRE, PEINDRE, TEINDRE et
leurs composés),
— JOINDRE et ses composés.

✓GEINDRE: même conjugaison
mais le participe passé, « geint »,
est invariable.

✓OINDRE ne s'emploie qu'à l'infinitif
et au participe passé (« oint, ointe »).

✓POINDRE ne s'emploie qu'à
l'infinitif et à la 3ᵉ personne du singulier
à l'Indicatif présent, imparfait et futur
et au conditionnel présent (« il point,
il poignait, il poindra, il poindrait »).

| N° 52 **VAINCRE** VERBE du 3E GROUPE | INFINITIF |
|---|---|
| | **PRÉSENT**<br>vaincre<br><br>**PASSÉ**<br>avoir vaincu |

| INDICATIF | | SUBJONCTIF |
|---|---|---|
| **PRÉSENT**<br>je vaincs<br>tu vaincs<br>il vainc *<br>nous vainquons<br>vous vainquez<br>ils vainquent | **PASSÉ COMPOSÉ**<br>j'ai vaincu<br>tu as vaincu<br>il a vaincu<br>nous avons vaincu<br>vous avez vaincu<br>ils ont vaincu | **PRÉSENT**<br>que je vainque<br>que tu vainques<br>qu'il vainque<br>que nous vainquions<br>que vous vainquiez<br>qu'ils vainquent |
| **IMPARFAIT**<br>je vainquais<br>tu vainquais<br>il vainquait<br>nous vainquions<br>vous vainquiez<br>ils vainquaient | **PLUS-QUE-PARFAIT**<br>j'avais vaincu<br>tu avais vaincu<br>il avait vaincu<br>nous avions vaincu<br>vous aviez vaincu<br>ils avaient vaincu | **IMPARFAIT**<br>que je vainquisse<br>que tu vainquisses<br>qu'il vainquît<br>que nous vainquissions<br>que vous vainquissiez<br>qu'ils vainquissent |
| **PASSÉ SIMPLE**<br>je vainquis<br>tu vainquis<br>il vainquit<br>nous vainquîmes<br>vous vainquîtes<br>ils vainquirent | **PASSÉ ANTÉRIEUR**<br>j'eus vaincu<br>tu eus vaincu<br>il eut vaincu<br>nous eûmes vaincu<br>vous eûtes vaincu<br>ils eurent vaincu | **PASSÉ**<br>que j'aie vaincu<br>que tu aies vaincu<br>qu'il ait vaincu<br>que nous ayons vaincu<br>que vous ayez vaincu<br>qu'ils aient vaincu |
| **FUTUR**<br>je vaincrai<br>tu vaincras<br>il vaincra<br>nous vaincrons<br>vous vaincrez<br>ils vaincront | **FUTUR ANTÉRIEUR**<br>j'aurai vaincu<br>tu auras vaincu<br>il aura vaincu<br>nous aurons vaincu<br>vous aurez vaincu<br>ils auront vaincu | **PLUS-QUE-PARFAIT**<br>que j'eusse vaincu<br>que tu eusses vaincu<br>qu'il eût vaincu<br>que nous eussions vaincu<br>que vous eussiez vaincu<br>qu'ils eussent vaincu |

## PARTICIPE

PRÉSENT
vainquant

PASSÉ
vaincu, vaincue
ayant vaincu

## IMPÉRATIF

PRÉSENT
vaincs
vainquons, vainquez

PASSÉ
aie vaincu
ayons, ayez vaincu

## CONDITIONNEL

PRÉSENT
je vaincrais
tu vaincrais
il vaincrait
nous vaincrions
vous vaincriez
ils vaincraient

PASSÉ 1re FORME
j'aurais vaincu
tu aurais vaincu
il aurait vaincu
nous aurions vaincu
vous auriez vaincu
ils auraient vaincu

PASSÉ 2e FORME
j'eusse vaincu
tu eusses vaincu
il eût vaincu
nous eussions vaincu
vous eussiez vaincu
ils eussent vaincu

Même conjugaison pour:
CONVAINCRE.

\* Noter l'absence de « t » final à
la 3e personne du singulier du présent
de l'indicatif.

⇨ Sauf devant le « u » (« vaincu »),
le « c » se change en « qu » devant
une voyelle (nous vainquons, nous
vainquîmes…).

| N° 53 | INFINITIF |
|---|---|
| **FAIRE** | **PRÉSENT** faire |
| VERBE du 3ᴱ GROUPE | **PASSÉ** avoir fait |

## INDICATIF

| PRÉSENT | PASSÉ COMPOSÉ |
|---|---|
| je fais | j'ai fait |
| tu fais | tu as fait |
| il fait | il a fait |
| nous faisons * | nous avons fait |
| vous faites | vous avez fait |
| ils font | ils ont fait |

| IMPARFAIT * | PLUS-QUE-PARFAIT |
|---|---|
| je faisais | j'avais fait |
| tu faisais | tu avais fait |
| il faisait | il avait fait |
| nous faisions | nous avions fait |
| vous faisiez | vous aviez fait |
| ils faisaient | ils avaient fait |

| PASSÉ SIMPLE | PASSÉ ANTÉRIEUR |
|---|---|
| je fis | j'eus fait |
| tu fis | tu eus fait |
| il fit | il eut fait |
| nous fîmes | nous eûmes fait |
| vous fîtes | vous eûtes fait |
| ils firent | ils eurent fait |

| FUTUR | FUTUR ANTÉRIEUR |
|---|---|
| je ferai | j'aurai fait |
| tu feras | tu auras fait |
| il fera | il aura fait |
| nous ferons | nous aurons fait |
| vous ferez | vous aurez fait |
| ils feront | ils auront fait |

## SUBJONCTIF

**PRÉSENT**
que je fasse
que tu fasses
qu'il fasse
que nous fassions
que vous fassiez
qu'ils fassent

**IMPARFAIT**
que je fisse
que tu fisses
qu'il fît
que nous fissions
que vous fissiez
qu'ils fissent

**PASSÉ**
que j'aie fait
que tu aies fait
qu'il ait fait
que nous ayons fait
que vous ayez fait
qu'ils aient fait

**PLUS-QUE-PARFAIT**
que j'eusse fait
que tu eusses fait
qu'il eût fait
que nous eussions fait
que vous eussiez fait
qu'ils eussent fait

## PARTICIPE

PRÉSENT
faisant *

PASSÉ
fait, faite
ayant fait

## IMPÉRATIF

PRÉSENT
fais
faisons *, faites

PASSÉ
aie fait
ayons fait, ayez fait

## CONDITIONNEL

PRÉSENT
je ferais
tu ferais
il ferait
nous ferions
vous feriez
ils feraient

PASSÉ 1ʳᵉ FORME
j'aurais fait
tu aurais fait
il aurait fait
nous aurions fait
vous auriez fait
ils auraient fait

PASSÉ 2ᵉ FORME
j'eusse fait
tu eusses fait
il eût fait
nous eussions fait
vous eussiez fait
ils eussent fait

Même conjugaison pour:
CONTREFAIRE, DÉFAIRE,
REDÉFAIRE, REFAIRE,
SATISFAIRE, SURFAIRE.

* Attention à ces formes en « fai- », qui se prononcent « fe- ».

✓ FORFAIRE n'est utilisé qu'à l'infinitif et aux temps composés.
Il se rencontre parfois aux trois 1ʳᵉˢ personnes de l'indicatif présent.

✓ PARFAIRE n'est utilisé qu'à l'infinitif, au participe passé, à l'indicatif présent et aux temps composés.

✓ STUPÉFAIRE, verbe créé à partir de l'adjectif « stupéfait », fait double emploi avec le verbe « stupéfier » et est considéré comme incorrect.
Il ne s'emploie qu'à la 3ᵉ personne du singulier de l'indicatif présent et aux temps composés.

⇨ Lorsqu'il est suivi d'un infinitif, le participe passé « fait » est toujours invariable (la voiture que j'ai fait réparer; elle s'est fait servir un repas).

| N° 54 | INFINITIF |
|---|---|
| **PLAIRE** | **PRÉSENT**<br>plaire |
| VERBE DU 3ᵉ GROUPE | **PASSÉ**<br>avoir plu |

| INDICATIF | | SUBJONCTIF |
|---|---|---|

| **PRÉSENT** | **PASSÉ COMPOSÉ** | **PRÉSENT** |
|---|---|---|
| je plais | j'ai plu | que je plaise |
| tu plais | tu as plu | que tu plaises |
| il plaît * | il a plu | qu'il plaise |
| nous plaisons | nous avons plu | que nous plaisions |
| vous plaisez | vous avez plu | que vous plaisiez |
| ils plaisent | ils ont plu | qu'ils plaisent |

| **IMPARFAIT** | **PLUS-QUE-PARFAIT** | **IMPARFAIT** |
|---|---|---|
| je plaisais | j'avais plu | que je plusse |
| tu plaisais | tu avais plu | que tu plusses |
| il plaisait | il avait plu | qu'il plût |
| nous plaisions | nous avions plu | que nous plussions |
| vous plaisiez | vous aviez plu | que vous plussiez |
| ils plaisaient | ils avaient plu | qu'ils plussent |

| **PASSÉ SIMPLE** | **PASSÉ ANTÉRIEUR** | **PASSÉ** |
|---|---|---|
| je plus | j'aurai plu | que j'aie plu |
| tu plus | tu auras plu | que tu aies plu |
| il plut | il aura plu | qu'il ait plu |
| nous plûmes | nous aurons plu | que nous ayons plu |
| vous plûtes | vous aurez plu | que vous ayez plu |
| ils plurent | ils auront plu | qu'ils aient plu |

| **FUTUR** | **FUTUR ANTÉRIEUR** | **PLUS-QUE-PARFAIT** |
|---|---|---|
| je plairai | j'eus plu | que j'eusse plu |
| tu plairas | tu eus plu | que tu eusses plu |
| il plaira | il eut plu | qu'il eût plu |
| nous plairons | nous eûmes plu | que nous eussions plu |
| vous plairez | vous eûtes plu | que vous eussiez plu |
| ils plairont | ils eurent plu | qu'ils eussent plu |

## PARTICIPE

**PRÉSENT**
plaisant

**PASSÉ**
plu **
ayant plu

## IMPÉRATIF

**PRÉSENT**
plais
plaisons, plaisez

**PASSÉ**
aie plu
ayons plu, ayez plu

## CONDITIONNEL

**PRÉSENT**
je plairais
tu plairais
il plairait
nous plairions
vous plairiez
ils plairaient

**PASSÉ 1ʳᵉ FORME**
j'aurais plu
tu aurais plu
il aurait plu
nous aurions plu
vous auriez plu
ils auraient plu

**PASSÉ 2ᵉ FORME**
j'eusse plu
tu eusses plu
il eût plu
nous eussions plu
vous eussiez plu
ils eussent plu

Même conjugaison pour :
**complaire, déplaire.**

\* Attention à la 3ᵉ personne du singulier du présent de l'indicatif, qui prend un accent circonflexe (« il plaît »).

\*\* Attention au participe passé invariable, même aux formes pronominales (nous nous sommes plu très vite, ils se sont déplu à Londres, elle s'est complu à parler d'elle).

| N° 55 TAIRE VERBE du 3ᵉ GROUPE | INFINITIF |
|---|---|
| | **présent** taire |
| | **passé** avoir tu |

| INDICATIF | | SUBJONCTIF |
|---|---|---|
| **présent** je tais tu tais il tait nous taisons vous taisez ils taisent | **passé composé** j'ai tu tu as tu il a tu nous avons tu vous avez tu ils ont tu | **présent** que je taise que tu taises qu'il taise que nous taisions que vous taisiez qu'ils taisent |
| **imparfait** je taisais tu taisais il taisait nous taisions vous taisiez ils taisaient | **plus-que-parfait** j'avais tu tu avais tu il avait tu nous avions tu vous aviez tu ils avaient tu | **imparfait** que je tusse que tu tusses qu'il tût que nous tussions que vous tussiez qu'ils tussent |
| **passé simple** je tus tu tus il tut nous tûmes vous tûtes ils turent | **passé antérieur** j'eus tu tu eus tu il eut tu nous eûmes tu vous eûtes tu ils eurent tu | **passé** que j'aie tu que tu aies tu qu'il ait tu que nous ayons tu que vous ayez tu qu'ils aient tu |
| **futur** je tairai tu tairas il taira nous tairons vous tairez ils tairont | **futur antérieur** j'aurai tu tu auras tu il aura tu nous aurons tu vous aurez tu ils auront tu | **plus-que-parfait** que j'eusse tu que tu eusses tu qu'il eût tu que nous eussions tu que vous eussiez tu qu'ils eussent tu |

## PARTICIPE

PRÉSENT
taisant
PASSÉ
tu, tue
ayant tu

## IMPÉRATIF

PRÉSENT
tais, taisons, taisez

PASSÉ
aie tu
ayons tu, ayez tu

## CONDITIONNEL

PRÉSENT
je tairais
tu tairais
il tairait
nous tairions
vous tairiez
ils tairaient

PASSÉ 1ʳᵉ FORME
j'aurais tu
tu aurais tu
il aurait tu
nous aurions tu
vous auriez tu
ils auraient tu

PASSÉ 2ᵉ FORME
j'eusse tu
tu eusses tu
il eût tu
nous eussions tu
vous eussiez tu
ils eussent tu

⇨ Même conjugaison que plaire, mais il n'y a pas d'accent circonflexe à la 3ᵉ personne du singulier du présent de l'indicatif et le participe passé est variable (ils se sont tus).

# N° 56

# TRAIRE

verbe du 3e groupe

## INFINITIF

**présent**
traire

**passé**
avoir trait

## INDICATIF

| présent | passé composé |
|---|---|
| je trais | j'ai trait |
| tu trais | tu as trait |
| il trait | il a trait |
| nous trayons | nous avons trait |
| vous trayez | vous avez trait |
| ils traient | ils ont trait |

| imparfait | plus-que-parfait |
|---|---|
| je trayais | j'avais trait |
| tu trayais | tu avais trait |
| il trayait | il avait trait |
| nous trayions * | nous avions trait |
| vous trayiez * | vous aviez trait |
| ils trayaient | ils avaient trait |

**pas de**

**passé simple**

| | passé antérieur |
|---|---|
| | j'eus trait |
| | tu eus trait |
| | il eut trait |
| | nous eûmes trait |
| | vous eûtes trait |
| | ils eurent trait |

| futur | futur antérieur |
|---|---|
| je trairai | j'aurai trait |
| tu trairas | tu auras trait |
| il traira | il aura trait |
| nous trairons | nous aurons trait |
| vous trairez | vous aurez trait |
| ils trairont | ils auront trait |

## SUBJONCTIF

**présent**
que je traie
que tu traies
qu'il traie
que nous trayions *
que vous trayiez *
qu'ils traient

**pas d'imparfait**

**du subjonctif**

**passé**
que j'aie trait
que tu aies trait
qu'il ait trait
que nous ayons trait
que vous ayez trait
qu'ils aient trait

**plus-que-parfait**
que j'eusse trait
que tu eusses trait
qu'il eût trait
que nous eussions trait
que vous eussiez trait
qu'ils eussent trait

## PARTICIPE

PRÉSENT
trayant
PASSÉ
trait, traite
ayant trait

## IMPÉRATIF

PRÉSENT
trais
trayons, trayez
PASSÉ
aie trait
ayons trait, ayez trait

## CONDITIONNEL

PRÉSENT
je trairais
tu trairais
il trairait
nous trairions
vous trairiez
ils trairaient

PASSÉ 1ʳᵉ FORME
j'aurais trait
tu aurais trait
il aurait trait
nous aurions trait
vous auriez trait
ils auraient trait

PASSÉ 2ᵉ FORME
j'eusse trait
tu eusses trait
il eût trait
nous eussions trait
vous eussiez trait
ils eussent trait

Même conjugaison pour:
ABSTRAIRE, DISTRAIRE,
EXTRAIRE, RETRAIRE,
SOUSTRAIRE.

* Attention au « yi » à la 1ʳᵉ et à
la 2ᵉ personne du pluriel de l'indicatif
imparfait et du subjonctif présent.

✓BRAIRE suit la même conjugaison
mais ne s'emploie qu'à l'infinitif et à
la 3ᵉ personne (singulier et pluriel) de
l'indicatif présent et futur et du
conditionnel présent.
On le rencontre parfois à l'indicatif
imparfait, au participe présent et aux
temps composés.

| N° 57 | INFINITIF |
|---|---|
| **DIRE** | **PRÉSENT** dire |
| verbe du 3e groupe | **PASSÉ** avoir dit |

| INDICATIF | | SUBJONCTIF |
|---|---|---|
| **PRÉSENT** je dis tu dis il dit nous disons vous dites * ils disent | **PASSÉ COMPOSÉ** j'ai dit tu as dit il a dit nous avons dit vous avez dit ils ont dit | **PRÉSENT** que je dise que tu dises qu'il dise que nous disions que vous disiez qu'ils disent |
| **IMPARFAIT** je disais tu disais il disait nous disions vous disiez ils disaient | **PLUS-QUE-PARFAIT** j'avais dit tu avais dit il avait dit nous avions dit vous aviez dit ils avaient dit | **IMPARFAIT** que je disse que tu disses qu'il dît que nous dissions que vous dissiez qu'ils dissent |
| **PASSÉ SIMPLE** je dis tu dis il dit nous dîmes vous dîtes ils dirent | **PASSÉ ANTÉRIEUR** j'eus dit tu eus dit il eut dit nous eûmes dit vous eûtes dit ils eurent dit | **PASSÉ** que j'aie dit que tu aies dit qu'il ait dit que nous ayons dit que vous ayez dit qu'ils aient dit |
| **FUTUR** je dirai tu diras il dira nous dirons vous direz ils diront | **FUTUR ANTÉRIEUR** j'aurai dit tu auras dit il aura dit nous aurons dit vous aurez dit ils auront dit | **PLUS-QUE-PARFAIT** que j'eusse dit que tu eusses dit qu'il eût dit que nous eussions dit que vous eussiez dit qu'ils eussent dit |

## PARTICIPE

PRÉSENT
disant
PASSÉ
dit, dite
ayant dit

## IMPÉRATIF

PRÉSENT
dis
disons, dites *
PASSÉ
aie dit
ayons dit, ayez dit

## CONDITIONNEL

PRÉSENT
je dirais
tu dirais
il dirait
nous dirions
vous diriez
ils diraient

PASSÉ 1ʳᵉ FORME
j'aurais dit
tu aurais dit
il aurait dit
nous aurions dit
vous auriez dit
ils auraient dit

PASSÉ 2ᵉ FORME
j'eusse dit
tu eusses dit
il eût dit
nous eussions dit
vous eussiez dit
ils eussent dit

Même conjugaison pour: REDIRE.

* Attention à la forme particulière
(« dites », « redites ») de la
2ᵉ personne du pluriel de l'indicatif
présent et de l'impératif présent.

✓ CONTREDIRE, DÉDIRE, INTERDIRE, PRÉDIRE suivent la même conjugaison, sauf à la 2ᵉ personne du pluriel du présent de l'indicatif et de l'impératif où ils prennent la forme « -disez »:
« vous contredisez, vous dédisez, vous interdisez, vous prédisez; contredisez, dédisez, interdisez, prédisez ».

✓ MÉDIRE: même remarque pour la 2ᵉ personne du pluriel du présent de l'indicatif et de l'impératif (« vous médisez »); en outre, son participe passé, « médit », est invariable.

⇨ Attention au verbe MAUDIRE: il se conjugue comme FINIR (voir tableau n° 15), sauf au participe passé (« maudit, maudite »).

## N° 58

# ÉCRIRE

verbe du 3ᵉ groupe

### INFINITIF

**présent**
écrire

**passé**
avoir écrit

### INDICATIF

**présent**
j'écris
tu écris
il écrit
nous écrivons
vous écrivez
ils écrivent

**imparfait**
j'écrivais
tu écrivais
il écrivait
nous écrivions
vous écriviez
ils écrivaient

**passé simple**
j'écrivis
tu écrivis
il écrivit
nous écrivîmes
vous écrivîtes
ils écrivirent

**futur**
j'écrirai
tu écriras
il écrira
nous écrirons
vous écrirez
ils écriront

**passé composé**
j'ai écrit
tu as écrit
il a écrit
nous avons écrit
vous avez écrit
ils ont écrit

**plus-que-parfait**
j'avais écrit
tu avais écrit
il avait écrit
nous avions écrit
vous aviez écrit
ils avaient écrit

**passé antérieur**
j'eus écrit
tu eus écrit
il eut écrit
nous eûmes écrit
vous eûtes écrit
ils eurent écrit

**futur antérieur**
j'aurai écrit
tu auras écrit
il aura écrit
nous aurons écrit
vous aurez écrit
ils auront écrit

### SUBJONCTIF

**présent**
que j'écrive
que tu écrives
qu'il écrive
que nous écrivions
que vous écriviez
qu'ils écrivent

**imparfait**
que j'écrivisse
que tu écrivisses
qu'il écrivît
que nous écrivissions
que vous écrivissiez
qu'ils écrivissent

**passé**
que j'aie écrit
que tu aies écrit
qu'il ait écrit
que nous ayons écrit
que vous ayez écrit
qu'ils aient écrit

**plus-que-parfait**
que j'eusse écrit
que tu eusses écrit
qu'il eût écrit
que nous eussions écrit
que vous eussiez écrit
qu'ils eussent écrit

## PARTICIPE

PRÉSENT
écrivant

PASSÉ
écrit, écrite
ayant écrit

## IMPÉRATIF

PRÉSENT
écris
écrivons, écrivez

PASSÉ
aie écrit
ayons écrit, ayez écrit

## CONDITIONNEL

PRÉSENT
j'écrirais
tu écrirais
il écrirait
nous écririons
vous écririez
ils écriraient

PASSÉ 1ʳᵉ FORME
j'aurais écrit
tu aurais écrit
il aurait écrit
nous aurions écrit
vous auriez écrit
ils auraient écrit

PASSÉ 2ᵉ FORME
j'eusse écrit
tu eusses écrit
il eût écrit
nous eussions écrit
vous eussiez écrit
ils eussent écrit

Même conjugaison pour les composés d'ÉCRIRE :
CIRCONSCRIRE, DÉCRIRE, INSCRIRE, PRESCRIRE, PROSCRIRE, RÉ(É)CRIRE, RÉINSCRIRE, RETRANSCRIRE, SOUSCRIRE, TRANSCRIRE.

# N° 59

## LIRE

verbe du 3e groupe

### INFINITIF

présent
lire

passé
avoir lu

### INDICATIF

| présent | passé composé | présent (SUBJONCTIF) |
|---|---|---|
| je lis | j'ai lu | que je lise |
| tu lis | tu as lu | que tu lises |
| il lit | il a lu | qu'il lise |
| nous lisons | nous avons lu | que nous lisions |
| vous lisez | vous avez lu | que vous lisiez |
| ils lisent | ils ont lu | qu'ils lisent |

| imparfait | plus-que-parfait | imparfait |
|---|---|---|
| je lisais | j'avais lu | que je lusse |
| tu lisais | tu avais lu | que tu lusses |
| il lisait | il avait lu | qu'il lût |
| nous lisions | nous avions lu | que nous lussions |
| vous lisiez | vous aviez lu | que vous lussiez |
| ils lisaient | ils avaient lu | qu'ils lussent |

| passé simple | passé antérieur | passé |
|---|---|---|
| je lus | j'eus lu | que j'aie lu |
| tu lus | tu eus lu | que tu aies lu |
| il lut | il eut lu | qu'il ait lu |
| nous lûmes | nous eûmes lu | que nous ayons lu |
| vous lûtes | vous eûtes lu | que vous ayez lu |
| ils lurent | ils eurent lu | qu'ils aient lu |

| futur | futur antérieur | plus-que-parfait |
|---|---|---|
| je lirai | j'aurai lu | que j'eusse lu |
| tu liras | tu auras lu | que tu eusses lu |
| il lira | il aura lu | qu'il eût lu |
| nous lirons | nous aurons lu | que nous eussions lu |
| vous lirez | vous aurez lu | que vous eussiez lu |
| ils liront | ils auront lu | qu'ils eussent lu |

### SUBJONCTIF

## PARTICIPE

PRÉSENT
lisant

PASSÉ
lu, lue
ayant lu

## IMPÉRATIF

PRÉSENT
lis
lisons, lisez

PASSÉ
aie lu
ayons lu, ayez lu

## CONDITIONNEL

PRÉSENT
je lirais
tu lirais
il lirait
nous lirions
vous liriez
ils liraient

PASSÉ 1ʳᵉ FORME
j'aurais lu
tu aurais lu
il aurait lu
nous aurions lu
vous auriez lu
ils auraient lu

PASSÉ 2ᵉ FORME
j'eusse lu
tu eusses lu
il eût lu
nous eussions lu
vous eussiez lu
ils eussent lu

Même conjugaison pour:
ÉLIRE, RÉÉLIRE, RELIRE.

## N° 60

# RIRE

VERBE du 3ᴇ GROUPE

### INFINITIF

PRÉSENT
rire

PASSÉ
avoir ri

| INDICATIF | | SUBJONCTIF |
|---|---|---|
| **PRÉSENT** | **PASSÉ COMPOSÉ** | **PRÉSENT** |
| je ris | j'ai ri | que je rie |
| tu ris | tu as ri | que tu ries |
| il rit | il a ri | qu'il rie |
| nous rions | nous avons ri | que nous riions * |
| vous riez | vous avez ri | que vous riiez * |
| ils rient | ils ont ri | qu'ils rient |
| **IMPARFAIT** | **PLUS-QUE-PARFAIT** | **IMPARFAIT** |
| je riais | j'avais ri | que je risse |
| tu riais | tu avais ri | que tu risses |
| il riait | il avait ri | qu'il rît |
| nous riions * | nous avions ri | que nous rissions |
| vous riiez * | vous aviez ri | que vous rissiez |
| ils riaient | ils avaient ri | qu'ils rissent |
| **PASSÉ SIMPLE** | **PASSÉ ANTÉRIEUR** | **PASSÉ** |
| je ris | j'eus ri | que j'aie ri |
| tu ris | tu eus ri | que tu aies ri |
| il rit | il eut ri | qu'il ait ri |
| nous rîmes | nous eûmes ri | que nous ayons ri |
| vous rîtes | vous eûtes ri | que vous ayez ri |
| ils rirent | ils eurent ri | qu'ils aient ri |
| **FUTUR** | **FUTUR ANTÉRIEUR** | **PLUS-QUE-PARFAIT** |
| je rirai | j'aurai ri | que j'eusse ri |
| tu riras | tu auras ri | que tu eusses ri |
| il rira | il aura ri | qu'il eût ri |
| nous rirons | nous aurons ri | que nous eussions ri |
| vous rirez | vous aurez ri | que vous eussiez ri |
| ils riront | ils auront ri | qu'ils eussent ri |

## PARTICIPE

PRÉSENT
riant

PASSÉ
ri **
ayant ri

## IMPÉRATIF

PRÉSENT
ris
rions, riez

PASSÉ
aie ri
ayons ri, ayez ri

## CONDITIONNEL

PRÉSENT
je rirais
tu rirais
il rirait
nous ririons
vous ririez
ils riraient

PASSÉ 1ʳᵉ FORME
j'aurais ri
tu aurais ri
il aurait ri
nous aurions ri
vous auriez ri
ils auraient ri

PASSÉ 2ᵉ FORME
j'eusse ri
tu eusses ri
il eût ri
nous eussions ri
vous eussiez ri
ils eussent ri

Même conjugaison pour: SOURIRE.

* Attention au doublement du « i »
à la 1ʳᵉ et à la 2ᵉ personne du pluriel
de l'indicatif imparfait et du subjonctif
présent.

** Le participe passé est invariable,
même aux formes pronominales
(elle s'est ri de toi, ils se sont souri).

# N° 61

# CUIRE

verbe du 3e groupe

## INFINITIF

présent
cuire

passé
avoir cuit

## INDICATIF

| présent | passé composé |
|---|---|
| je cuis | j'ai cuit |
| tu cuis | tu as cuit |
| il cuit | il a cuit |
| nous cuisons | nous avons cuit |
| vous cuisez | vous avez cuit |
| ils cuisent | ils ont cuit |

| imparfait | plus-que-parfait |
|---|---|
| je cuisais | j'avais cuit |
| tu cuisais | tu avais cuit |
| il cuisait | il avait cuit |
| nous cuisions | nous avions cuit |
| vous cuisiez | vous aviez cuit |
| ils cuisaient | ils avaient cuit |

| passé simple | passé antérieur |
|---|---|
| je cuisis | j'eus cuit |
| tu cuisis | tu eus cuit |
| il cuisit | il eut cuit |
| nous cuisîmes | nous eûmes cuit |
| vous cuisîtes | vous eûtes cuit |
| ils cuisirent | ils eurent cuit |

| futur | futur antérieur |
|---|---|
| je cuirai | j'aurai cuit |
| tu cuiras | tu auras cuit |
| il cuira | il aura cuit |
| nous cuirons | nous aurons cuit |
| vous cuirez | vous aurez cuit |
| ils cuiront | ils auront cuit |

## SUBJONCTIF

présent
que je cuise
que tu cuises
qu'il cuise
que nous cuisions
que vous cuisiez
qu'ils cuisent

imparfait
que je cuisisse
que tu cuisisses
qu'il cuisît
que nous cuisissions
que vous cuisissiez
qu'ils cuisissent

passé
que j'aie cuit
que tu aies cuit
qu'il ait cuit
que nous ayons cuit
que vous ayez cuit
qu'ils aient cuit

plus-que-parfait
que j'eusse cuit
que tu eusses cuit
qu'il eût cuit
que nous eussions cuit
que vous eussiez cuit
qu'ils eussent cuit

## PARTICIPE

PRÉSENT
cuisant

PASSÉ
cuit, cuite
ayant cuit

## IMPÉRATIF

PRÉSENT
cuis, cuisons
cuisez

PASSÉ
aie cuit
ayons cuit, ayez cuit

## CONDITIONNEL

PRÉSENT
je cuirais
tu cuirais
il cuirait
nous cuirions
vous cuiriez
ils cuiraient

PASSÉ 1ʳᵉ FORME
j'aurais cuit
tu aurais cuit
il aurait cuit
nous aurions cuit
vous auriez cuit
ils auraient cuit

PASSÉ 2ᵉ FORME
j'eusse cuit
tu eusses cuit
il eût cuit
nous eussions cuit
vous eussiez cuit
ils eussent cuit

Même conjugaison pour : – RECUIRE,
– CONDUIRE et ses composés
(PRODUIRE, RÉDUIRE, etc.),
– CONSTRUIRE et ses composés
(DÉTRUIRE, INSTRUIRE, etc.).

✓LUIRE, RELUIRE : le participe
passé ne prend pas de « t » (« lui ;
relui ») et est invariable.
Au passé simple, on rencontre souvent
les formes critiquées : il luit, ils luirent ;
il reluit, ils reluirent…

✓NUIRE, S'ENTRE-NUIRE : le
participe passé ne prend pas de « t »
(« nui ; entre-nui ») et est invariable.
Attention donc aux formes pronominales :
ils se sont nui ; ils se sont entre-nui.

✓BRUIRE est défectif et ne s'emploie
qu'aux formes suivantes :

| INDICATIF | | |
|---|---|---|
| PRÉSENT | IMPARFAIT | FUTUR |
| il bruit | il bruissait | il bruira |
| ils bruissent | ils bruissaient | ils bruiront |

| SUBJONCTIF | CONDITIONNEL |
|---|---|
| PRÉSENT | PRÉSENT |
| qu'il bruisse | il bruirait |
| qu'ils bruissent | ils bruiraient |

PARTICIPE PRÉSENT bruissant
(bruyant, l'ancien participe présent, est devenu
un adjectif).

⇨ Sous l'influence de « bruissement »
s'est créé le verbe BRUISSER (du
1ᵉʳ groupe) : son emploi est critiqué.

# N° 62

# CONNAÎTRE

VERBE DU 3E GROUPE

## INFINITIF

PRÉSENT
connaître

PASSÉ
avoir connu

## INDICATIF

| PRÉSENT | PASSÉ COMPOSÉ |
|---|---|
| je connais | j'ai connu |
| tu connais | tu as connu |
| il connaît * | il a connu |
| nous connaissons | nous avons connu |
| vous connaissez | vous avez connu |
| ils connaissent | ils ont connu |

| IMPARFAIT | PLUS-QUE-PARFAIT |
|---|---|
| je connaissais | j'avais connu |
| tu connaissais | tu avais connu |
| il connaissait | il avait connu |
| nous connaissions | nous avions connu |
| vous connaissiez | vous aviez connu |
| ils connaissaient | ils avaient connu |

| PASSÉ SIMPLE | PASSÉ ANTÉRIEUR |
|---|---|
| je connus | j'eus connu |
| tu connus | tu eus connu |
| il connut | il eut connu |
| nous connûmes | nous eûmes connu |
| vous connûtes | vous eûtes connu |
| ils connurent | ils eurent connu |

| FUTUR * | FUTUR ANTÉRIEUR |
|---|---|
| je connaîtrai | j'aurai connu |
| tu connaîtras | tu auras connu |
| il connaîtra | il aura connu |
| nous connaîtrons | nous aurons connu |
| vous connaîtrez | vous aurez connu |
| ils connaîtront | ils auront connu |

## SUBJONCTIF

PRÉSENT
que je connaisse
que tu connaisses
qu'il connaisse
que nous connaissions
que vous connaissiez
qu'ils connaissent

IMPARFAIT
que je connusse
que tu connusses
qu'il connût
que nous connussions
que vous connussiez
qu'ils connussent

PASSÉ
que j'aie connu
que tu aies connu
qu'il ait connu
que nous ayons connu
que vous ayez connu
qu'ils aient connu

PLUS-QUE-PARFAIT
que j'eusse connu
que tu eusses connu
qu'il eût connu
que nous eussions connu
que vous eussiez connu
qu'ils eussent connu

## PARTICIPE

PRÉSENT
connaissant

PASSÉ
connu, connue
ayant connu

## IMPÉRATIF

PRÉSENT
connais, connaissons
connaissez

PASSÉ
aie connu
ayons, ayez connu

## CONDITIONNEL

PRÉSENT *
je connaîtrais
tu connaîtrais
il connaîtrait
nous connaîtrions
vous connaîtriez
ils connaîtraient

PASSÉ 1ʳᵉ FORME
j'aurais connu
tu aurais connu
il aurait connu
nous aurions connu
vous auriez connu
ils auraient connu

PASSÉ 2ᵉ FORME
j'eusse connu
tu eusses connu
il eût connu
nous eussions connu
vous eussiez connu
ils eussent connu

Même conjugaison pour les composés
de CONNAÎTRE :
– MÉCONNAÎTRE, RECONNAÎTRE,
– PARAÎTRE et ses composés
(APPARAÎTRE, COMPARAÎTRE,
DISPARAÎTRE, RÉAPPARAÎTRE,
REPARAÎTRE, TRANSPARAÎTRE),
– REPAÎTRE.

* Tous les verbes en -AÎTRE
conservent l'accent circonflexe sur
le « i » devant un « t » :
il connaît, il paraît, tu connaîtras,
nous disparaîtrons…

# N° 63

# PAÎTRE

VERBE DU 3ᴱ GROUPE

**INFINITIF**

PRÉSENT
paître

PAS DE PARTICIPE
PASSÉ **

---

**INDICATIF**

PRÉSENT
je pais
tu pais
il paît *
nous paissons
vous paissez
ils paissent

IMPARFAIT
je paissais
tu paissais
il paissait
nous paissions
vous paissiez
ils paissaient

PAS DE

PASSÉ SIMPLE

FUTUR *
je paîtrai
tu paîtras
il paîtra
nous paîtrons
vous paîtrez
ils paîtront

PAÎTRE NE SE

CONJUGUE PAS

AUX TEMPS

COMPOSÉS

**SUBJONCTIF**

PRÉSENT
que je paisse
que tu paisses
qu'il paisse
que nous paissions
que vous paissiez
qu'ils paissent

PAS

D'IMPARFAIT,

DE PASSÉ NI DE

PLUS-QUE-PARFAIT

DU SUBJONCTIF

PARTICIPE

PRÉSENT
paissant

IMPÉRATIF

PRÉSENT
pais
paissez

CONDITIONNEL

PRÉSENT *
je paîtrais
tu paîtrais
il paîtrait
nous paîtrions

vous paîtriez
ils paîtraient

* PAÎTRE conserve l'accent circonflexe sur le « i » devant un « t » (il paît, tu paîtras…).

** Il existe un participe passé « pu » (invariable), qui n'est utilisé qu'en fauconnerie.

⇨ Son composé REPAÎTRE n'est pas défectif et se conjugue sur le modèle de CONNAÎTRE (tableau n° 62).

## N° 64

# NAÎTRE

VERBE DU 3ᵉ GROUPE

| INFINITIF | |
|---|---|
| **PRÉSENT** naître | |
| **PASSÉ** être né(e) | |

## INDICATIF

| **PRÉSENT** | **PASSÉ COMPOSÉ** |
|---|---|
| je nais | je suis né |
| tu nais | tu es né |
| il naît * | il est né |
| nous naissons | nous sommes nés |
| vous naissez | vous êtes nés |
| ils naissent | ils sont nés |

| **IMPARFAIT** | **PLUS-QUE-PARFAIT** |
|---|---|
| je naissais | j'étais né |
| tu naissais | tu étais né |
| il naissait | il était né |
| nous naissions | nous étions nés |
| vous naissiez | vous étiez nés |
| ils naissaient | ils étaient nés |

| **PASSÉ SIMPLE** ** | **PASSÉ ANTÉRIEUR** |
|---|---|
| je naquis | je fus né |
| tu naquis | tu fus né |
| il naquit | il fut né |
| nous naquîmes | nous fûmes nés |
| vous naquîtes | vous fûtes nés |
| ils naquirent | ils furent nés |

| **FUTUR** * | **FUTUR ANTÉRIEUR** |
|---|---|
| je naîtrai | je serai né |
| tu naîtras | tu seras né |
| il naîtra | il sera né |
| nous naîtrons | nous serons nés |
| vous naîtrez | vous serez nés |
| ils naîtront | ils seront nés |

## SUBJONCTIF

**PRÉSENT**
que je naisse
que tu naisses
qu'il naisse
que nous naissions
que vous naissiez
qu'ils naissent

**IMPARFAIT** **
que je naquisse
que tu naquisses
qu'il naquît
que nous naquissions
que vous naquissiez
qu'ils naquissent

**PASSÉ**
que je sois né
que tu sois né
qu'il soit né
que nous soyons nés
que vous soyez nés
qu'ils soient nés

**PLUS-QUE-PARFAIT**
que je fusse né
que tu fusses né
qu'il fût né
que nous fussions nés
que vous fussiez nés
qu'ils fussent nés

## PARTICIPE

PRÉSENT
naissant

PASSÉ
né, née
étant né(e)

## IMPÉRATIF

PRÉSENT
nais
naissons, naissez

PASSÉ
sois né
soyons nés, soyez nés

## CONDITIONNEL

PRÉSENT *
je naîtrais
tu naîtrais
il naîtrait
nous naîtrions
vous naîtriez
ils naîtraient

PASSÉ 1ʳᵉ FORME
je serais né
tu serais né
il serait né
nous serions nés
vous seriez nés
ils seraient nés

PASSÉ 2ᵉ FORME
je fusse né
tu fusses né
il fût né
nous fussions nés
vous fussiez nés
ils fussent nés

* NAÎTRE conserve l'accent circonflexe sur le « i » devant un « t » (il naît, tu naîtras…).

** Attention aux formes en « qu » du passé simple et du subjonctif imparfait.

✓ RENAÎTRE : même conjugaison mais il n'a pas de participe passé (et donc pas de temps composés).

| N° 65 | INFINITIF |
|---|---|
| **METTRE** | **PRÉSENT** mettre |
| verbe du 3e groupe | **PASSÉ** avoir mis |

## INDICATIF

### SUBJONCTIF

| PRÉSENT | PASSÉ COMPOSÉ | PRÉSENT |
|---|---|---|
| je mets | j'ai mis | que je mette |
| tu mets | tu as mis | que tu mettes |
| il met | il a mis | qu'il mette |
| nous mettons | nous avons mis | que nous mettions |
| vous mettez | vous avez mis | que vous mettiez |
| ils mettent | ils ont mis | qu'ils mettent |

| IMPARFAIT | PLUS-QUE-PARFAIT | IMPARFAIT |
|---|---|---|
| je mettais | j'avais mis | que je misse |
| tu mettais | tu avais mis | que tu misses |
| il mettait | il avait mis | qu'il mît |
| nous mettions | nous avions mis | que nous missions |
| vous mettiez | vous aviez mis | que vous missiez |
| ils mettaient | ils avaient mis | qu'ils missent |

| PASSÉ SIMPLE | PASSÉ ANTÉRIEUR | PASSÉ |
|---|---|---|
| je mis | j'eus mis | que j'aie mis |
| tu mis | tu eus mis | que tu aies mis |
| il mit | il eut mis | qu'il ait mis |
| nous mîmes | nous eûmes mis | que nous ayons mis |
| vous mîtes | vous eûtes mis | que vous ayez mis |
| ils mirent | ils eurent mis | qu'ils aient mis |

| FUTUR | FUTUR ANTÉRIEUR | PLUS-QUE-PARFAIT |
|---|---|---|
| je mettrai | j'aurai mis | que j'eusse mis |
| tu mettras | tu auras mis | que tu eusses mis |
| il mettra | il aura mis | qu'il eût mis |
| nous mettrons | nous aurons mis | que nous eussions mis |
| vous mettrez | vous aurez mis | que vous eussiez mis |
| ils mettront | ils auront mis | qu'ils eussent mis |

## PARTICIPE

**PRÉSENT**
mettant

**PASSÉ**
mis, mise
ayant mis

## IMPÉRATIF

**PRÉSENT**
mets
mettons, mettez

**PASSÉ**
aie mis
ayons mis, ayez mis

## CONDITIONNEL

**PRÉSENT**
je mettrais
tu mettrais
il mettrait
nous mettrions
vous mettriez
ils mettraient

**PASSÉ 1ʳᵉ FORME**
j'aurais mis
tu aurais mis
il aurait mis
nous aurions mis
vous auriez mis
ils auraient mis

**PASSÉ 2ᵉ FORME**
j'eusse mis
tu eusses mis
il eût mis
nous eussions mis
vous eussiez mis
ils eussent mis

Même conjugaison pour:
ADMETTRE, COMMETTRE, COMPROMETTRE, DÉMETTRE, ÉMETTRE, S'ENTREMETTRE, OMETTRE, PERMETTRE, PROMETTRE, RÉADMETTRE, REMETTRE, RETRANSMETTRE, SOUMETTRE, TRANSMETTRE.

## N° 66

# BATTRE

verbe du 3e groupe

### INFINITIF

**présent**
battre

**passé**
avoir battu

## INDICATIF

| **présent** | **passé composé** |
|---|---|
| je bats | j'ai battu |
| tu bats | tu as battu |
| il bat | il a battu |
| nous battons | nous avons battu |
| vous battez | vous avez battu |
| ils battent | ils ont battu |

| **imparfait** | **plus-que-parfait** |
|---|---|
| je battais | j'avais battu |
| tu battais | tu avais battu |
| il battait | il avait battu |
| nous battions | nous avions battu |
| vous battiez | vous aviez battu |
| ils battaient | ils avaient battu |

| **passé simple** | **passé antérieur** |
|---|---|
| je battis | j'eus battu |
| tu battis | tu eus battu |
| il battit | il eut battu |
| nous battîmes | nous eûmes battu |
| vous battîtes | vous eûtes battu |
| ils battirent | ils eurent battu |

| **futur** | **futur antérieur** |
|---|---|
| je battrai | j'aurai battu |
| tu battras | tu auras battu |
| il battra | il aura battu |
| nous battrons | nous aurons battu |
| vous battrez | vous aurez battu |
| ils battront | ils auront battu |

## SUBJONCTIF

**présent**
que je batte
que tu battes
qu'il batte
que nous battions
que vous battiez
qu'ils battent

**imparfait**
que je battisse
que tu battisses
qu'il battît
que nous battissions
que vous battissiez
qu'ils battissent

**passé**
que j'aie battu
que tu aies battu
qu'il ait battu
que nous ayons battu
que vous ayez battu
qu'ils aient battu

**plus-que-parfait**
que j'eusse battu
que tu eusses battu
qu'il eût battu
que nous eussions battu
que vous eussiez battu
qu'ils eussent battu

## PARTICIPE

PRÉSENT
battant

PASSÉ
battu, battue
ayant battu

## IMPÉRATIF

PRÉSENT
bats
battons, battez

PASSÉ
aie battu
ayons battu, ayez battu

## CONDITIONNEL

PRÉSENT
je battrais
tu battrais
il battrait
nous battrions
vous battriez
ils battraient

PASSÉ 1ʳᵉ FORME
j'aurais battu
tu aurais battu
il aurait battu
nous aurions battu
vous auriez battu
ils auraient battu

PASSÉ 2ᵉ FORME
j'eusse battu
tu eusses battu
il eût battu
nous eussions battu
vous eussiez battu
ils eussent battu

Même conjugaison pour:
ABATTRE, COMBATTRE,
CONTREBATTRE, débATTRE,
s'ébATTRE, EMBATTRE,
RABATTRE, REBATTRE.

## N° 67

# SUIVRE

### verbe du 3e groupe

## INFINITIF

**présent**
suivre

**passé**
avoir suivi

## INDICATIF

**présent**
je suis
tu suis
il suit
nous suivons
vous suivez
ils suivent

**imparfait**
je suivais
tu suivais
il suivait
nous suivions
vous suiviez
ils suivaient

**passé simple**
je suivis
tu suivis
il suivit
nous suivîmes
vous suivîtes
ils suivirent

**futur**
je suivrai
tu suivras
il suivra
nous suivrons
vous suivrez
ils suivront

**passé composé**
j'ai suivi
tu as suivi
il a suivi
nous avons suivi
vous avez suivi
ils ont suivi

**plus-que-parfait**
j'avais suivi
tu avais suivi
il avait suivi
nous avions suivi
vous aviez suivi
ils avaient suivi

**passé antérieur**
j'eus suivi
tu eus suivi
il eut suivi
nous eûmes suivi
vous eûtes suivi
ils eurent suivi

**futur antérieur**
j'aurai suivi
tu auras suivi
il aura suivi
nous aurons suivi
vous aurez suivi
ils auront suivi

## SUBJONCTIF

**présent**
que je suive
que tu suives
qu'il suive
que nous suivions
que vous suiviez
qu'ils suivent

**imparfait**
que je suivisse
que tu suivisses
qu'il suivît
que nous suivissions
que vous suivissiez
qu'ils suivissent

**passé**
que j'aie suivi
que tu aies suivi
qu'il ait suivi
que nous ayons suivi
que vous ayez suivi
qu'ils aient suivi

**plus-que-parfait**
que j'eusse suivi
que tu eusses suivi
qu'il eût suivi
que nous eussions suivi
que vous eussiez suivi
qu'ils eussent suivi

## PARTICIPE

PRÉSENT
suivant

PASSÉ
suivi, suivie
ayant suivi

## IMPÉRATIF

PRÉSENT
suis
suivons, suivez

PASSÉ
aie suivi
ayons suivi, ayez suivi

## CONDITIONNEL

PRÉSENT
je suivrais
tu suivrais
il suivrait
nous suivrions
vous suivriez
ils suivraient

PASSÉ 1ʳᵉ FORME
j'aurais suivi
tu aurais suivi
il aurait suivi
nous aurions suivi
vous auriez suivi
ils auraient suivi

PASSÉ 2ᵉ FORME
j'eusse suivi
tu eusses suivi
il eût suivi
nous eussions suivi
vous eussiez suivi
ils eussent suivi

Même conjugaison pour:
POURSUIVRE.

✓S'ENSUIVRE (qui, étant pronominal, se conjugue avec l'auxiliaire « être ») est défectif.
Il ne s'emploie qu'à l'infinitif et à la 3ᵉ personne (singulier et pluriel):
la famine s'ensuivit, la faillite qui s'est ensuivie, il s'est ensuivi, il s'en est ensuivi (la formulation il s'en est suivi est fautive).

| N° 68 | INFINITIF |
|---|---|
| **VIVRE** VERBE DU 3E GROUPE | **PRÉSENT** vivre **PASSÉ** avoir vécu |

| INDICATIF | | SUBJONCTIF |
|---|---|---|
| **PRÉSENT** je vis tu vis il vit nous vivons vous vivez ils vivent | **PASSÉ COMPOSÉ** j'ai vécu tu as vécu il a vécu nous avons vécu vous avez vécu ils ont vécu | **PRÉSENT** que je vive que tu vives qu'il vive que nous vivions que vous viviez qu'ils vivent |
| **IMPARFAIT** je vivais tu vivais il vivait nous vivions vous viviez ils vivaient | **PLUS-QUE-PARFAIT** j'avais vécu tu avais vécu il avait vécu nous avions vécu vous aviez vécu ils avaient vécu | **IMPARFAIT** que je vécusse que tu vécusses qu'il vécût que nous vécussions que vous vécussiez qu'ils vécussent |
| **PASSÉ SIMPLE** je vécus tu vécus il vécut nous vécûmes vous vécûtes ils vécurent | **PASSÉ ANTÉRIEUR** j'eus vécu tu eus vécu il eut vécu nous eûmes vécu vous eûtes vécu ils eurent vécu | **PASSÉ** que j'aie vécu que tu aies vécu qu'il ait vécu que nous ayons vécu que vous ayez vécu qu'ils aient vécu |
| **FUTUR** je vivrai tu vivras il vivra nous vivrons vous vivrez ils vivront | **FUTUR ANTÉRIEUR** j'aurai vécu tu auras vécu il aura vécu nous aurons vécu vous aurez vécu ils auront vécu | **PLUS-QUE-PARFAIT** que j'eusse vécu que tu eusses vécu qu'il eût vécu que nous eussions vécu que vous eussiez vécu qu'ils eussent vécu |

## PARTICIPE

**PRÉSENT**
vivant

**PASSÉ**
vécu, vécue
ayant vécu

## IMPÉRATIF

**PRÉSENT**
vis
vivons, vivez

**PASSÉ**
aie vécu
ayons vécu, ayez vécu

## CONDITIONNEL

**PRÉSENT**
je vivrais
tu vivrais
il vivrait
nous vivrions
vous vivriez
ils vivraient

**PASSÉ 1ʳᵉ FORME**
j'aurais vécu
tu aurais vécu
il aurait vécu
nous aurions vécu
vous auriez vécu
ils auraient vécu

**PASSÉ 2ᵉ FORME**
j'eusse vécu
tu eusses vécu
il eût vécu
nous eussions vécu
vous eussiez vécu
ils eussent vécu

Même conjugaison pour : REVIVRE.

✓ SURVIVRE : même conjugaison mais le participe passé, « survécu », est invariable.

# N° 69

# BOIRE

VERBE DU 3E GROUPE

## INFINITIF

PRÉSENT
boire

PASSÉ
avoir bu

## INDICATIF

| PRÉSENT | PASSÉ COMPOSÉ |
|---|---|
| je bois | j'ai bu |
| tu bois | tu as bu |
| il boit | il a bu |
| nous buvons | nous avons bu |
| vous buvez | vous avez bu |
| ils boivent | ils ont bu |

| IMPARFAIT | PLUS-QUE-PARFAIT |
|---|---|
| je buvais | j'avais bu |
| tu buvais | tu avais bu |
| il buvait | il avait bu |
| nous buvions | nous avions bu |
| vous buviez | vous aviez bu |
| ils buvaient | ils avaient bu |

| PASSÉ SIMPLE | PASSÉ ANTÉRIEUR |
|---|---|
| je bus | j'eus bu |
| tu bus | tu eus bu |
| il but | il eut bu |
| nous bûmes | nous eûmes bu |
| vous bûtes | vous eûtes bu |
| ils burent | ils eurent bu |

| FUTUR | FUTUR ANTÉRIEUR |
|---|---|
| je boirai | j'aurai bu |
| tu boiras | tu auras bu |
| il boira | il aura bu |
| nous boirons | nous aurons bu |
| vous boirez | vous aurez bu |
| ils boiront | ils auront bu |

## SUBJONCTIF

PRÉSENT
que je boive
que tu boives
qu'il boive
que nous buvions
que vous buviez
qu'ils boivent

IMPARFAIT
que je busse
que tu busses
qu'il bût
que nous bussions
que vous bussiez
qu'ils bussent

PASSÉ
que j'aie bu
que tu aies bu
qu'il ait bu
que nous ayons bu
que vous ayez bu
qu'ils aient bu

PLUS-QUE-PARFAIT
que j'eusse bu
que tu eusses bu
qu'il eût bu
que nous eussions bu
que vous eussiez bu
qu'ils eussent bu

## PARTICIPE

PRÉSENT
buvant

PASSÉ
bu, bue
ayant bu

## IMPÉRATIF

PRÉSENT
bois
buvons, buvez

PASSÉ
aie bu
ayons bu, ayez bu

## CONDITIONNEL

PRÉSENT
je boirais
tu boirais
il boirait
nous boirions
vous boiriez
ils boiraient

PASSÉ 1ʳᵉ FORME
j'aurais bu
tu aurais bu
il aurait bu
nous aurions bu
vous auriez bu
ils auraient bu

PASSÉ 2ᵉ FORME
j'eusse bu
tu eusses bu
il eût bu
nous eussions bu
vous eussiez bu
ils eussent bu

# N° 70

## CROIRE

### verbe du 3ᵉ groupe

**INFINITIF**

PRÉSENT
croire

PASSÉ
avoir cru

## INDICATIF

| PRÉSENT | PASSÉ COMPOSÉ |
|---|---|
| je crois | j'ai cru |
| tu crois | tu as cru |
| il croit | il a cru |
| nous croyons | nous avons cru |
| vous croyez | vous avez cru |
| ils croient | ils ont cru |

| IMPARFAIT | PLUS-QUE-PARFAIT |
|---|---|
| je croyais | j'avais cru |
| tu croyais | tu avais cru |
| il croyait | il avait cru |
| nous croyions * | nous avions cru |
| vous croyiez * | vous aviez cru |
| ils croyaient | ils avaient cru |

| PASSÉ SIMPLE | PASSÉ ANTÉRIEUR |
|---|---|
| je crus | j'eus cru |
| tu crus | tu eus cru |
| il crut | il eut cru |
| nous crûmes | nous eûmes cru |
| vous crûtes | vous eûtes cru |
| ils crurent | ils eurent cru |

| FUTUR | FUTUR ANTÉRIEUR |
|---|---|
| je croirai | j'aurai cru |
| tu croiras | tu auras cru |
| il croira | il aura cru |
| nous croirons | nous aurons cru |
| vous croirez | vous aurez cru |
| ils croiront | ils auront cru |

## SUBJONCTIF

PRÉSENT
que je croie
que tu croies
qu'il croie
que nous croyions *
que vous croyiez *
qu'ils croient

IMPARFAIT
que je crusse
que tu crusses
qu'il crût
que nous crussions
que vous crussiez
qu'ils crussent

PASSÉ
que j'aie cru
que tu aies cru
qu'il ait cru
que nous ayons cru
que vous ayez cru
qu'ils aient cru

PLUS-QUE-PARFAIT
que j'eusse cru
que tu eusses cru
qu'il eût cru
que nous eussions cru
que vous eussiez cru
qu'ils eussent cru

## PARTICIPE

**PRÉSENT**
croyant

**PASSÉ**
cru, crue
ayant cru

## IMPÉRATIF

**PRÉSENT**
crois
croyons, croyez

**PASSÉ**
aie cru
ayons cru, ayez cru

## CONDITIONNEL

**PRÉSENT**
je croirais
tu croirais
il croirait
nous croirions
vous croiriez
ils croiraient

**PASSÉ 1ʳᵉ FORME**
j'aurais cru
tu aurais cru
il aurait cru
nous aurions cru
vous auriez cru
ils auraient cru

**PASSÉ 2ᵉ FORME**
j'eusse cru
tu eusses cru
il eût cru
nous eussions cru
vous eussiez cru
ils eussent cru

* Attention au « yi » à la 1ʳᵉ et à la 2ᵉ personne du pluriel de l'indicatif imparfait et du subjonctif présent.

# N° 71

## CROÎTRE

verbe du 3ᵉ groupe

### INFINITIF

PRÉSENT
croître

PASSÉ
avoir crû
(ou être crû, crue)

---

### INDICATIF

| PRÉSENT | PASSÉ COMPOSÉ |
|---|---|
| je croîs | j'ai crû |
| tu croîs | tu as crû |
| il croît | il a crû |
| nous croissons | nous avons crû |
| vous croissez | vous avez crû |
| ils croissent | ils ont crû |

| IMPARFAIT | PLUS-QUE-PARFAIT |
|---|---|
| je croissais | j'avais crû |
| tu croissais | tu avais crû |
| il croissait | il avait crû |
| nous croissions | nous avions crû |
| vous croissiez | vous aviez crû |
| ils croissaient | ils avaient crû |

| PASSÉ SIMPLE | PASSÉ ANTÉRIEUR |
|---|---|
| je crûs | j'eus crû |
| tu crûs | tu eus crû |
| il crût | il eut crû |
| nous crûmes | nous eûmes crû |
| vous crûtes | vous eûtes crû |
| ils crûrent | ils eurent crû |

| FUTUR | FUTUR ANTÉRIEUR |
|---|---|
| je croîtrai | j'aurai crû |
| tu croîtras | tu auras crû |
| il croîtra | il aura crû |
| nous croîtrons | nous aurons crû |
| vous croîtrez | vous aurez crû |
| ils croîtront | ils auront crû |

### SUBJONCTIF

PRÉSENT
que je croisse
que tu croisses
qu'il croisse
que nous croissions
que vous croissiez
qu'ils croissent

IMPARFAIT
que je crûsse
que tu crûsses
qu'il crût
que nous crûssions
que vous crûssiez
qu'ils crûssent

PASSÉ
que j'aie crû
que tu aies crû
qu'il ait crû
que nous ayons crû
que vous ayez crû
qu'ils aient crû

PLUS-QUE-PARFAIT
que j'eusse crû
que tu eusses crû
qu'il eût crû
que nous eussions crû
que vous eussiez crû
qu'ils eussent crû

## PARTICIPE

**PRÉSENT**
croissant

**PASSÉ**
crû, crue ; ayant crû
(ou étant crû, crue)

## IMPÉRATIF

**PRÉSENT**
croîs
croissons, croissez

**PASSÉ**
aie crû
ayons crû, ayez crû

## CONDITIONNEL

**PRÉSENT**
je croîtrais
tu croîtrais
il croîtrait
nous croîtrions
vous croîtriez
ils croîtraient

**PASSÉ 1ʳᵉ FORME**
j'aurais crû
tu aurais crû
il aurait crû
nous aurions crû
vous auriez crû
ils auraient crû

**PASSÉ 2ᵉ FORME**
j'eusse crû
tu eusses crû
il eût crû
nous eussions crû
vous eussiez crû
ils eussent crû

⇨ **CROÎTRE** prend un accent circonflexe (sur le « i » et sur le « u ») dans les formes de conjugaison présentant un risque de confusion avec celles du verbe **CROIRE** (« je croîs, tu croîs, je crûs, tu crûs, ils crûrent, que je crûsse…, il a crû… »).

Seul le participe passé masculin singulier prend un accent circonflexe (« crû », mais « crue, crus, crues »).

✓**ACCROÎTRE, DÉCROÎTRE**: même conjugaison mais, le risque de confusion avec **CROIRE** n'existant pas, ils ne prennent un accent circonflexe que sur le « i » précédant un « t » et bien sûr aux formes exigeant habituellement l'accent circonflexe (« il accroît, nous décrûmes… », mais « j'accrois, ils décrurent… »).

Leurs participes passés font : « accru, accrue », « décru, décrue ».

✓**RECROÎTRE**: même remarque que pour **ACCROÎTRE** et **DÉCROÎTRE** sauf pour le participe passé, qui fait « recrû, recrue ».

⇨ Comme tous les verbes en -ÎTRE, **CROÎTRE, ACCROÎTRE, DÉCROÎTRE** et **RECROÎTRE** conservent l'accent circonflexe sur le « i » précédant un « t ».

# N° 72

# EXCLURE

verbe du 3e groupe

## INFINITIF

**présent**
exclure

**passé**
avoir exclu

## INDICATIF

| **présent** | **passé composé** |
|---|---|
| j'exclus | j'ai exclu |
| tu exclus | tu as exclu |
| il exclut | il a exclu |
| nous excluons | nous avons exclu |
| vous excluez | vous avez exclu |
| ils excluent | ils ont exclu |

| **imparfait** | **plus-que-parfait** |
|---|---|
| j'excluais | j'avais exclu |
| tu excluais | tu avais exclu |
| il excluait | il avait exclu |
| nous excluions | nous avions exclu |
| vous excluiez | vous aviez exclu |
| ils excluaient | ils avaient exclu |

| **passé simple** | **passé antérieur** |
|---|---|
| j'exclus | j'eus exclu |
| tu exclus | tu eus exclu |
| il exclut | il eut exclu |
| nous exclûmes | nous eûmes exclu |
| vous exclûtes | vous eûtes exclu |
| ils exclurent | ils eurent exclu |

| **futur** | **futur antérieur** |
|---|---|
| j'exclurai | j'aurai exclu |
| tu excluras | tu auras exclu |
| il exclura | il aura exclu |
| nous exclurons | nous aurons exclu |
| vous exclurez | vous aurez exclu |
| ils excluront | ils auront exclu |

## SUBJONCTIF

**présent**
que j'exclue
que tu exclues
qu'il exclue
que nous excluions
que vous excluiez
qu'ils excluent

**imparfait**
que j'exclusse
que tu exclusses
qu'il exclût
que nous exclussions
que vous exclussiez
qu'ils exclussent

**passé**
que j'aie exclu
que tu aies exclu
qu'il ait exclu
que nous ayons exclu
que vous ayez exclu
qu'ils aient exclu

**plus-que-parfait**
que j'eusse exclu
que tu eusses exclu
qu'il eût exclu
que nous eussions exclu
que vous eussiez exclu
qu'ils eussent exclu

## PARTICIPE

**PRÉSENT**
excluant

**PASSÉ**
exclu, exclue
ayant exclu

## IMPÉRATIF

**PRÉSENT**
exclus
excluons, excluez

**PASSÉ**
aie exclu
ayons exclu ; ayez exclu

## CONDITIONNEL

**PRÉSENT**
j'exclurais
tu exclurais
il exclurait
nous exclurions
vous excluriez
ils excluraient

**PASSÉ 1ʳᵉ FORME**
j'aurais exclu
tu aurais exclu
il aurait exclu
nous aurions exclu
vous auriez exclu
ils auraient exclu

**PASSÉ 2ᵉ FORME**
j'eusse exclu
tu eusses exclu
il eût exclu
nous eussions exclu
vous eussiez exclu
ils eussent exclu

Même conjugaison pour :
**CONCLURE.**

✓**INCLURE, OCCLURE** suivent la même conjugaison, sauf au participe passé :
« inclus, incluse » ;
« occlus, occluse ».

✓**RECLURE** n'est utilisé qu'à l'infinitif et au participe passé, qui est « reclus, recluse ».

⇨ Attention à la faute fréquente consistant à introduire un « e » dans la conjugaison de ces verbes (comme s'ils appartenaient au 1ᵉʳ groupe) ; il faut écrire « j'exclus, il conclura, vous exclurez, nous inclurions » (et non j'exclue, il concluera, vous excluerez, nous incluerions…).

## N° 73

# RÉSOUDRE

### verbe du 3e groupe

### INFINITIF

**présent**
résoudre

**passé**
avoir résolu

| INDICATIF | | SUBJONCTIF |
|---|---|---|
| **présent** | **passé composé** | **présent** |
| je résous | j'ai résolu | que je résolve |
| tu résous | tu as résolu | que tu résolves |
| il résout | il a résolu | qu'il résolve |
| nous résolvons | nous avons résolu | que nous résolvions |
| vous résolvez | vous avez résolu | que vous résolviez |
| ils résolvent | ils ont résolu | qu'ils résolvent |
| **imparfait** | **plus-que-parfait** | **imparfait** |
| je résolvais | j'avais résolu | que je résolusse |
| tu résolvais | tu avais résolu | que tu résolusses |
| il résolvait | il avait résolu | qu'il résolût |
| nous résolvions | nous avions résolu | que nous résolussions |
| vous résolviez | vous aviez résolu | que vous résolussiez |
| ils résolvaient | ils avaient résolu | qu'ils résolussent |
| **passé simple** | **passé antérieur** | **passé** |
| je résolus | j'eus résolu | que j'aie résolu |
| tu résolus | tu eus résolu | que tu aies résolu |
| il résolut | il eut résolu | qu'il ait résolu |
| nous résolûmes | nous eûmes résolu | que nous ayons résolu |
| vous résolûtes | vous eûtes résolu | que vous ayez résolu |
| ils résolurent | ils eurent résolu | qu'ils aient résolu |
| **futur** | **futur antérieur** | **plus-que-parfait** |
| je résoudrai | j'aurai résolu | que j'eusse résolu |
| tu résoudras | tu auras résolu | que tu eusses résolu |
| il résoudra | il aura résolu | qu'il eût résolu |
| nous résoudrons | nous aurons résolu | que nous eussions résolu |
| vous résoudrez | vous aurez résolu | que vous eussiez résolu |
| ils résoudront | ils auront résolu | qu'ils eussent résolu |

## PARTICIPE

**PRÉSENT**
résolvant

**PASSÉ**
résolu, résolue *
ayant résolu

## IMPÉRATIF

**PRÉSENT**
résous
résolvons, résolvez

**PASSÉ**
aie résolu
ayons, ayez résolu

## CONDITIONNEL

**PRÉSENT**
je résoudrais
tu résoudrais
il résoudrait
nous résoudrions
vous résoudriez
ils résoudraient

**PASSÉ 1ʳᵉ FORME**
j'aurais résolu
tu aurais résolu
il aurait résolu
nous aurions résolu
vous auriez résolu
ils auraient résolu

**PASSÉ 2ᵉ FORME**
j'eusse résolu
tu eusses résolu
il eût résolu
nous eussions résolu
vous eussiez résolu
ils eussent résolu

* Il existe le participe passé « résous, résoute », utilisé uniquement pour les changements d'état physique (de la vapeur résoute en eau).

✓ **absoudre, dissoudre** : même conjugaison, mais ces verbes n'ont pas de passé simple ni d'imparfait du subjonctif.
Leur participe passé est :
« absous, absoute »
« dissous, dissoute »
(à distinguer donc des adjectifs absolu et dissolu…).

⇨ **RESSOUDRE** : ce canadianisme se conjugue sur le modèle d'**ATTENDRE** (voir tableau n° 47).

## N° 74

# COUDRE

### verbe du 3e groupe

**INFINITIF**

**présent**
coudre

**passé**
avoir cousu

---

## INDICATIF

| | |
|---|---|
| **présent** | **passé composé** |
| je couds | j'ai cousu |
| tu couds | tu as cousu |
| il coud | il a cousu |
| nous cousons | nous avons cousu |
| vous cousez | vous avez cousu |
| ils cousent | ils ont cousu |
| **imparfait** | **plus-que-parfait** |
| je cousais | j'avais cousu |
| tu cousais | tu avais cousu |
| il cousait | il avait cousu |
| nous cousions | nous avions cousu |
| vous cousiez | vous aviez cousu |
| ils cousaient | ils avaient cousu |
| **passé simple** | **passé antérieur** |
| je cousis | j'eus cousu |
| tu cousis | tu eus cousu |
| il cousit | il eut cousu |
| nous cousîmes | nous eûmes cousu |
| vous cousîtes | vous eûtes cousu |
| ils cousirent | ils eurent cousu |
| **futur** | **futur antérieur** |
| je coudrai | j'aurai cousu |
| tu coudras | tu auras cousu |
| il coudra | il aura cousu |
| nous coudrons | nous aurons cousu |
| vous coudrez | vous aurez cousu |
| ils coudront | ils auront cousu |

## SUBJONCTIF

**présent**
que je couse
que tu couses
qu'il couse
que nous cousions
que vous cousiez
qu'ils cousent

**imparfait**
que je cousisse
que tu cousisses
qu'il cousît
que nous cousissions
que vous cousissiez
qu'ils cousissent

**passé**
que j'aie cousu
que tu aies cousu
qu'il ait cousu
que nous ayons cousu
que vous ayez cousu
qu'ils aient cousu

**plus-que-parfait**
que j'eusse cousu
que tu eusses cousu
qu'il eût cousu
que nous eussions cousu
que vous eussiez cousu
qu'ils eussent cousu

## PARTICIPE

**PRÉSENT**
cousant

**PASSÉ**
cousu, cousue
ayant cousu

## IMPÉRATIF

**PRÉSENT**
couds
cousons, cousez

**PASSÉ**
aie cousu
ayons, ayez cousu

## CONDITIONNEL

**PRÉSENT**
je coudrais
tu coudrais
il coudrait
nous coudrions
vous coudriez
ils coudraient

**PASSÉ 1ʳᵉ FORME**
j'aurais cousu
tu aurais cousu
il aurait cousu
nous aurions cousu
vous auriez cousu
ils auraient cousu

**PASSÉ 2ᵉ FORME**
j'eusse cousu
tu eusses cousu
il eût cousu
nous eussions cousu
vous eussiez cousu
ils eussent cousu

Même conjugaison pour:
RECOUDRE, DÉCOUDRE.

⇨ Attention à la différence entre le passé simple en « i » (« je cousis ») et le participe passé en « u » (« elle a cousu »).

# N° 75

## MOUDRE

verbe du 3e groupe

### INFINITIF

PRÉSENT
moudre

PASSÉ
avoir moulu

---

## INDICATIF

| PRÉSENT | PASSÉ COMPOSÉ |
|---|---|
| je mouds | j'ai moulu |
| tu mouds | tu as moulu |
| il moud | il a moulu |
| nous moulons | nous avons moulu |
| vous moulez | vous avez moulu |
| ils moulent | ils ont moulu |

| IMPARFAIT | PLUS-QUE-PARFAIT |
|---|---|
| je moulais | j'avais moulu |
| tu moulais | tu avais moulu |
| il moulait | il avait moulu |
| nous moulions | nous avions moulu |
| vous mouliez | vous aviez moulu |
| ils moulaient | ils avaient moulu |

| PASSÉ SIMPLE | PASSÉ ANTÉRIEUR |
|---|---|
| je moulus | j'eus moulu |
| tu moulus | tu eus moulu |
| il moulut | il eut moulu |
| nous moulûmes | nous eûmes moulu |
| vous moulûtes | vous eûtes moulu |
| ils moulurent | ils eurent moulu |

| FUTUR | FUTUR ANTÉRIEUR |
|---|---|
| je moudrai | j'aurai moulu |
| tu moudras | tu auras moulu |
| il moudra | il aura moulu |
| nous moudrons | nous aurons moulu |
| vous moudrez | vous aurez moulu |
| ils moudront | ils auront moulu |

## SUBJONCTIF

PRÉSENT
que je moule
que tu moules
qu'il moule
que nous moulions
que vous mouliez
qu'ils moulent

IMPARFAIT
que je moulusse
que tu moulusses
qu'il moulût
que nous moulussions
que vous moulussiez
qu'ils moulussent

PASSÉ
que j'aie moulu
que tu aies moulu
qu'il ait moulu
que nous ayons moulu
que vous ayez moulu
qu'ils aient moulu

PLUS-QUE-PARFAIT
que j'eusse moulu
que tu eusses moulu
qu'il eût moulu
que nous eussions moulu
que vous eussiez moulu
qu'ils eussent moulu

## PARTICIPE

PRÉSENT
moulant

PASSÉ
moulu, moulue
ayant moulu

## IMPÉRATIF

PRÉSENT
mouds
moulons, moulez

PASSÉ
aie moulu
ayons, ayez moulu

## CONDITIONNEL

PRÉSENT
je moudrais
tu moudrais
il moudrait
nous moudrions
vous moudriez
ils moudraient

PASSÉ 1ᵉ FORME
j'aurais moulu
tu aurais moulu
il aurait moulu
nous aurions moulu
vous auriez moulu
ils auraient moulu

PASSÉ 2ᵉ FORME
j'eusse moulu
tu eusses moulu
il eût moulu
nous eussions moulu
vous eussiez moulu
ils eussent moulu

Même conjugaison pour:
ÉMOUDRE, REMOUDRE.

242 - Les tableaux de conjugaison

| N° 76 | INFINITIF |
|---|---|
| **SUFFIRE** | **PRÉSENT**<br>suffire |
| verbe du 3ᵉ groupe | **PASSÉ**<br>avoir suffi |

| INDICATIF | | SUBJONCTIF |
|---|---|---|
| **PRÉSENT**<br>je suffis<br>tu suffis<br>il suffit<br>nous suffisons<br>vous suffisez<br>ils suffisent | **PASSÉ COMPOSÉ**<br>j'ai suffi<br>tu as suffi<br>il a suffi<br>nous avons suffi<br>vous avez suffi<br>ils ont suffi | **PRÉSENT**<br>que je suffise<br>que tu suffises<br>qu'il suffise<br>que nous suffisions<br>que vous suffisiez<br>qu'ils suffisent |
| **IMPARFAIT**<br>je suffisais<br>tu suffisais<br>il suffisait<br>nous suffisions<br>vous suffisiez<br>ils suffisaient | **PLUS-QUE-PARFAIT**<br>j'avais suffi<br>tu avais suffi<br>il avait suffi<br>nous avions suffi<br>vous aviez suffi<br>ils avaient suffi | **IMPARFAIT**<br>que je suffisse<br>que tu suffisses<br>qu'il suffît<br>que nous suffissions<br>que vous suffissiez<br>qu'ils suffissent |
| **PASSÉ SIMPLE**<br>je suffis<br>tu suffis<br>il suffit<br>nous suffîmes<br>vous suffîtes<br>ils suffirent | **PASSÉ ANTÉRIEUR**<br>j'eus suffi<br>tu eus suffi<br>il eut suffi<br>nous eûmes suffi<br>vous eûtes suffi<br>ils eurent suffi | **PASSÉ**<br>que j'aie suffi<br>que tu aies suffi<br>qu'il ait suffi<br>que nous ayons suffi<br>que vous ayez suffi<br>qu'ils aient suffi |
| **FUTUR**<br>je suffirai<br>tu suffiras<br>il suffira<br>nous suffirons<br>vous suffirez<br>ils suffiront | **FUTUR ANTÉRIEUR**<br>j'aurai suffi<br>tu auras suffi<br>il aura suffi<br>nous aurons suffi<br>vous aurez suffi<br>ils auront suffi | **PLUS-QUE-PARFAIT**<br>que j'eusse suffi<br>que tu eusses suffi<br>qu'il eût suffi<br>que nous eussions suffi<br>que vous eussiez suffi<br>qu'ils eussent suffi |

## PARTICIPE

PRÉSENT
suffisant

PASSÉ
suffi *
ayant suffi

## IMPÉRATIF

PRÉSENT
suffis
suffisons, suffisez

PASSÉ
aie suffi
ayons suffi, ayez suffi

## CONDITIONNEL

PRÉSENT
je suffirais
tu suffirais
il suffirait
nous suffirions
vous suffiriez
ils suffiraient

PASSÉ 1ʳᵉ FORME
j'aurais suffi
tu aurais suffi
il aurait suffi
nous aurions suffi
vous auriez suffi
ils auraient suffi

PASSÉ 2ᵉ FORME
j'eusse suffi
tu eusses suffi
il eût suffi
nous eussions suffi
vous eussiez suffi
ils eussent suffi

* Noter le participe passé « suffi » (sans « t »), qui est invariable ; attention donc à la forme pronominale (elle s'est suffi à elle-même).

✓ CIRCONCIRE suit la même conjugaison, mais son participe passé se termine en « -is » et est variable : « circoncis, circoncise ».

✓ CONFIRE, DÉCONFIRE suivent la même conjugaison, mais leur participe passé se termine en « -it » et est variable : « confit, confite », « déconfit, déconfite ».

✓ FRIRE ne s'emploie guère qu'à l'infinitif, au singulier du présent et du futur de l'indicatif, au singulier du conditionnel présent et aux temps composés (les formes manquantes sont remplacées par des tournures comme faire frire ou être en train de frire).

Son participe passé se termine en « -it » et est variable : « frit, frite ».

✓ OCCIRE n'est utilisé qu'à l'infinitif et aux temps composés ; son participe passé se termine en « -is » et est variable : « occis, occise ».

| N° 77 | INFINITIF |
|---|---|
| **CLORE** verbe du 3ᵉ groupe | **PRÉSENT** clore **PASSÉ** avoir clos |

| INDICATIF | | SUBJONCTIF |
|---|---|---|
| **PRÉSENT** je clos tu clos il clôt ils closent | **PASSÉ COMPOSÉ** j'ai clos tu as clos il a clos nous avons clos vous avez clos ils ont clos | **PRÉSENT** que je close que tu closes qu'il close que nous closions que vous closiez qu'ils closent |
| **pas d'imparfait ni de passé simple** | **PLUS-QUE-PARFAIT** j'avais clos tu avais clos il avait clos nous avions clos vous aviez clos ils avaient clos | **pas d'imparfait du subjonctif** |
| | **PASSÉ ANTÉRIEUR** j'eus clos tu eus clos il eut clos nous eûmes clos vous eûtes clos ils eurent clos | **PASSÉ** que j'aie clos que tu aies clos qu'il ait clos que nous ayons clos que vous ayez clos qu'ils aient clos |
| **FUTUR** je clorai tu cloras il clora nous clorons vous clorez ils cloront | **FUTUR ANTÉRIEUR** j'aurai clos tu auras clos il aura clos nous aurons clos vous aurez clos ils auront clos | **PLUS-QUE-PARFAIT** que j'eusse clos que tu eusses clos qu'il eût clos que nous eussions clos que vous eussiez clos qu'ils eussent clos |

## PARTICIPE

PRÉSENT
closant
PASSÉ
clos, close
ayant clos

## IMPÉRATIF

PRÉSENT
clos

PASSÉ
aie clos
ayons clos, ayez clos
PRÉSENT

## CONDITIONNEL

je clorais
tu clorais
il clorait
nous clorions
vous cloriez
ils cloraient

PASSÉ 1er FORME
j'aurais clos
tu aurais clos
il aurait clos
nous aurions clos
vous auriez clos
ils auraient clos

PASSÉ 2e FORME
j'eusse clos
tu eusses clos
il eût clos
nous eussions clos
vous eussiez clos
ils eussent clos

⇨ **clore** est un verbe défectif qui ne possède ni la 1re ni la 2e personne du pluriel au présent de l'indicatif et de l'impératif, ni passé simple, ni imparfait de l'indicatif et du subjonctif.

✓ **déclore** : même conjugaison, mais il n'est guère employé qu'à l'infinitif et aux temps composés.

✓ **éclore** : même conjugaison, mais il n'est guère employé qu'à la 3e personne (singulier et pluriel).

✓ **enclore** suit la même conjugaison, mais il possède les 1re et 2e personnes au présent de l'indicatif et de l'impératif :
« nous enclosons, vous enclosez » ;
« enclosons, enclosez ».

✓ **forclore** ne s'emploie qu'à l'infinitif et au participe passé.

Cet ouvrage a été composé par Atlant'Communication
à Sainte-Cécile (Vendée)

*Imprimé en France sur Presse Offset par*

**BRODARD & TAUPIN**

GROUPE CPI

La Flèche (Sarthe), le 19-06-2001
N° d'imprimeur : 7986 – Dépôt légal : juillet 2001